Longman Ex Practice Kits

GW01045632

GCSE German

Alex Reich
Alasdair McKeane

LONGMAN

Series editors
Geoff Black and Stuart Wall

Titles available

GCSE	*A-level*
Biology	Biology
Business Studies	British and European Modern History
Chemistry	Business Studies
English	Chemistry
French	Economics
German	French
Geography	German
Higher Mathematics	Geography
Information Systems	Mathematics
Mathematics	Physics
Physics	Psychology
Science	Sociology

Addison Wesley Longman Ltd.,
Edinburgh Gate, Harlow,
CM20 2JE, England
and Associated Companies throughout the World

© Addison Wesley Longman 1997

All rights reserved; no part of this publication may be
reproduced, stored in a retrieval system, or transmitted in
any form or by any means, electronic, mechanical, photocopying,
recording or otherwise without either the prior written consent of
the Publishers or a licence permitting restricted copying in the
United Kingdom issued by the Copyright Licensing Agency Ltd,
90 Tottenham Court Road, London, W1P 9HE.

First published 1997

ISBN 0582-31252-3

British Library Cataloguing-in-Publication Data
A catalogue record for this book is available from the British Library.

Set by 43 in 11/13pt Baskerville
Produced by Longman Singapore Publishers Pte
Printed in Singapore

Contents

How to use this book

This book is aimed at helping you achieve a good grade in your GCSE German examination. It covers the main assessment areas in GCSE German: Listening, Speaking, Reading and Writing. The book is divided into four parts.

Part I Preparing for the examination

This section looks at what you should be doing before and during the examination. Making the best use of your time both during revision and in the examination is one of the main ingredients of success at GCSE. Use the Revision Planner at the end of this book to help you organise your revision programme successfully. We also provide advice about preparing for Listening, Speaking, Reading, Writing and Coursework.

Part II Summaries of the main methods of assessment with practice questions

This section has been divided into five chapters.

The first Chapter concentrates on vocabulary. Vocabulary lists have been split into key topic areas within the five Areas of Experience set by the National Curriculum. Each list is then split into 'Absolutely essential', 'Quite useful' and 'For the perfectionist'. There are then lists of vocabulary with either the German or English missing, and in some cases the gender is also missing. Fill in the gaps and then check your answers against the complete vocabulary lists supplied earlier in the chapter.

Chapters 2–5 cover the main assessment areas: Listening, Speaking, Reading and Writing. Each Chapter is split into the following sections:

1 **Revision tips** These give really useful revision hints to help you improve your examination performance.
2 **Practice questions** These questions are very similar to the type of question you are likely to face in the examination. The questions are split into target grade groups: G, F and E; D and C; and B, A, A*. Remember that the more practice you get at answering questions the better. Do make sure that you try hard to answer the questions fully before you look at the suggested answers in Part III.

Part III Answers and grading

Here you will find answers to the practice questions asked in Chapters 2–5 (there are no answers for Chapter 1). We have also reproduced the transcripts for the Listening questions, this will also provide further Reading practice for you. The examiner's notes provided with some answers will give you further advice about answering the questions.

Part IV Timed practice papers

Timed practice papers are given for each of the main methods of assessment to give you practice at answering questions under exam-like conditions. The questions have been split into target grade groups, as in the practice questions in Part II. Again, try not to look at the answers provided at the end of each paper.

Study skills for GCSE

Making the best use of your time in the approach to GCSE is one of the main ingredients of success. Students who are good at German will show most of the following characteristics:

▶ They attend virtually all lessons.
▶ If they do happen to be absent, they don't need reminding to catch up on what they have missed.
▶ During lessons they sit where they have a clear view of the board and the teacher.
▶ They write notes to refer to later.
▶ If they are stuck, they try to find out why they are stuck and ask about it.
▶ If there is pairwork, they try to speak in German the whole time.
▶ They always do written and learning homeworks.
▶ They have a routine which makes doing homework easy.
▶ Their work is legible, and has dates, page numbers and titles, all underlined.
▶ The work they hand in is not always the first copy. Sometimes they have done a rough copy and improved on it, especially with longer pieces of free writing.
▶ If no homework is set, they still find something German to do.
▶ They do corrections of work which the teacher has marked.

Students who fit most of those descriptions make progress. As a result, they find German reasonably interesting, and quite enjoy it. They do well or very well.

On the other hand, students who are not so good at German will generally have most of the following characteristics:

▶ They miss quite a few lessons, say, more than 5 per cent.
▶ They make no effort to catch up what they have missed and can be heard saying 'I was away' instead of doing so.
▶ They listen vaguely to the teacher's explanations.
▶ They don't have their books or pen with them.
▶ During pairwork they take the opportunity to discuss the latest gossip in English.
▶ They sit at the back or in corners.
▶ If stuck they claim not to understand, and make no real effort to understand.
▶ They often do homework late or not at all.
▶ At home, they do homework at any time they feel like it (which isn't often).
▶ Their work is messy and difficult to read because of large numbers of crossings out, altered letters, etc.
▶ They never look at anything the teacher writes apart from the mark at the bottom of their work.

Students who fit most of those descriptions make limited progress. As a result, they find German difficult and not very enjoyable. They tend not to do very well.

The key to a successful approach to any subject is **motivation**. There are actually practical things you can do to improve your motivation. Most of them are concerned with getting organised to do the work, doing it efficiently, then getting on with the next job.

There is no doubt that successful students are organised. Many students fail to reach their full potential because they approach the mechanics of studying the wrong way.

GETTING ORGANISED

Here are some practical ways you can get yourself organised. Discuss this section with your parents so they understand how you can best be helped.

1 **Work at set times**   If you have a set time or times in the day or week when you do homework, then you don't have to spend time deciding when to do it. Your school, after all, has a set timetable for lessons for that very reason. Set times save you time.

2 **Have time off at set times**   Leisure time is important to help you to learn efficiently. Knowing when you are free for social or sporting activities helps planning.

3 **Do it now!**   In German it is particularly important to do work as it is set, because one piece of work often builds on the previous one. It also makes it a lot easier for your teacher to give you detailed feedback to support your learning. By doing work immediately, you also save the time you might spend worrying about how and when to do the work. Remember: **NOW!**

4 **Have a suitable place for study**   The ideal location is free from distractions such as music, hobbies, magazines, etc. It is much better to sit at a desk or table. The table should be free from clutter, with good lighting and pens, pencils, paper and reference books to hand so you don't have to keep getting up.

5 **Do a reasonable amount of study per week**   This might, perhaps, be in the range of 35–45 hours weekly, including the 25–27 hours or so spent in lessons in school. Many adults work about that number of hours. Some people can work effectively for much longer periods.

6 **Use the 'before, during and after' principle**
Before a new topic – read ahead in your textbook to prepare yourself.
During the lesson – take notes or take part.
After the lesson – go over the notes and the textbook material while it is fresh.

Being organised doesn't take any more time than being disorganised. Indeed it actually saves time. Most importantly, it makes you a more efficient learner who will certainly gain a better grade in GCSE than your disorganised fellow-students.

Planning revision

Being organised during your course produces better results. This applies equally to revision as well as normal study. Here are some key features about efficient revision:

1 **Know how long you have left**   Work out how many weeks there are before the GCSE examination by counting the weeks on a calendar. Use the Revision Planner at the end of this book. For GCSE German, the various examinations are spread over several weeks, so time the run-up to each one individually. Don't work on letter-writing the day before your Speaking test, for example.

2 **Plan your revision**   This should be done week by week, topic by topic, skill by skill. Allow a week near the end for 'slippage' – time to catch up on what you have missed. Don't be over-ambitious about what you can get done. You may need to prioritise your efforts in areas you know are weak.

3 **Know what to expect in the exam**   Check the exact details with your teacher. Knowing what to expect gives direction and urgency to your revision and prevents you wasting time on irrelevant material.

4 **Check you can do it**   Make sure you can do all the obvious things such as letter-writing, giving a Speaking presentation, etc.

5 **Spot questions**   Use the sample and past papers available for GCSE German to find out the sort of things that come up.

6 **Analyse your own performance**   Use your mock examination to work out where your weaknesses are, and do something about them. If necessary, consult your teacher who, after all, knows your abilities best – and take his or her advice. After all, your teacher will probably have seen some hundreds of GCSE candidates over the years and will know what needs doing. You, on the other hand, are doing the examination for the first time...

Planned revision pays off. **Revise early, and revise often!**

Revision techniques

Revision can be really boring, because, by definition, you have seen things you are revising before. You need to find ways of compensating for the lack of novelty.

Many students revise ineffectively because they merely read through notes and chapters in the textbook and let the information wash over them. This is almost always a waste of time, certainly after the first half-hour or so. The secret is to **do** something, because activity is an aid to concentration.

German is a skills-based subject and you will improve your performance by practice. Any good musician or sporting star will confirm that the best forms of practice contain variety.

Useful techniques include the following:

1 **Write notes**   Make yourself skeleton notes which are sufficiently detailed to jog your memory, perhaps on small pieces of card (index cards or chopped up pieces of cereal packet). You can carry these about with you and consult them in odd moments. With vocabulary, write words down with their gender and meaning to help to fix them in your memory. Alternatively, write down a phrase which contains the word and its gender. If you are reading German, make a note of every word you had to look up.

2 **Work with a friend**   Pick a friend who is about the same standard as you are, and who also wants to work. Testing each other is a good idea. But don't forget to include written testing, which is the real proof of whether you know things. Because of the danger of being side-tracked by friends, don't rely on this method of revision alone.

3 **Set yourself tests**   While learning, make a note of things you found hard, and test yourself later – at the end of your session, then the following day, then the following week. Be honest with yourself about how you got on!

4 **Tick off what you've done**   Using the revision plan you have made, tick off the topics you have dealt with. Again, be honest! The more you have dealt with, the better you will feel.

5 **Set realistic targets**   Doing too much in one session will cause frustration and depress you. It is much better to learn, say, ten irregular verbs and succeed than to try to learn 56 and fail miserably.

6 **Treat yourself**   After a reasonable stint of revision, give yourself a treat – a sweet, or a break, or the chance to watch a favourite soap opera. Give yourself short-term incentives.

7 **Don't work too long without a break**   45–50 minutes is probably the longest session most people can concentrate for without a break – even if it's only to stretch your legs for five minutes.

8 **Give yourself variety**   Vary the aspects you revise. Also, vary the subjects you do in any one session – three spells of 45–50 minutes on three different subjects will be more productive than a three-hour 'slog' on one subject.

9 **Ignore other students** Some fellow-students will be loudly proclaiming either that they 'never do any revision' or that they are 'up working till 2 a.m.' Ignore them. They are being hysterical, and may well be embroidering the truth anyway. What matters to you is not how much or how little revision your friends do, but how much **you** do.

10 **Know when you are not revising** Don't kid yourself that you are working when you aren't. No-one can revise effectively while watching TV, chatting to friends, washing their hair or eating a meal. Don't even attempt it. Use these activities to reward yourself **after** a revision session.

Doing exams

The best cure for examination nerves is knowing that you have done all reasonable preparation. In addition, there are various practical things you can do to make sure you can concentrate on the examination paper.

The evening before an examination

▶ Pack your bag and put it by the front door to eliminate last-minute panic. Include spare pens, pencils and rubbers, your dictionary, and a silent watch.

▶ At the end of the evening, relax by doing something other than work. If you can manage to take the whole evening off, that's even better.

▶ Go to bed at a reasonable hour so you have enough sleep. Set an alarm.

The morning before an examination

▶ Get up in good time to avoid rush and panic.

▶ Dress carefully, possibly even smartly, to take your mind off the examination.

▶ Eat a reasonable breakfast so you aren't hungry during the examination.

Just before the examination

▶ Be there in good time, but not **too** early.

▶ Read or listen to something **easy** and familiar in German.

In the exam room

▶ Sit as comfortably as possible. If your desk is rocking, use folded paper.

▶ Make sure you know which Tier (Foundation or Higher) you have entered for in the skill being tested, and that you have been given the right paper.

▶ Check the number of questions you have to answer and the time available. Divide up your time and write down 'clock times' for each question.

▶ Read the questions and the settings carefully. The settings can contain vital clues to the answers. You may need to consult a dictionary.

▶ Do the tasks you are asked to do. This is particularly important in Writing papers, where there are quite a lot of marks for 'accomplishment of task'.

▶ Pace yourself so you have enough time to answer the more difficult questions at the end of the paper in Reading and Writing. If you can't do a question early in the paper quickly, leave it and come back to it later.

▶ Don't leave blanks – make a sensible guess. This applies especially to multiple-choice and tick-box questions.

▶ Use your common sense in Listening and Reading papers. If you don't know what happened, think what a sane and rational person might do in identical circumstances. Logic applies equally in the German-speaking world.

▶ When you have finished, check your work systematically.

▶ In Reading and Listening examinations, have you given enough details?

▶ In Writing examinations, check verbs, genders and agreements.

▶ Ignore the behaviour of other candidates. Many poor candidates demonstratively sit back or go to sleep having 'finished', or even walk out early. Don't be tempted to imitate them.

▶ After the Speaking test avoid panicking others by saying how terrible it was, etc. Smile sweetly and wish them good luck.

▶ When it's all over celebrate moderately.

So much for general revision skills. As the GCSE examination in German tests the four language skills separately, let us take preparing for each test in turn. They will in any case take place on several different days over a period of up to three months, so you can certainly prepare for each of the four skills as they are tested in turn. Allow for this when filling in your revision programme on your planner.

PREPARING SPEAKING

The Speaking test often worries candidates, but this really isn't necessary if you are well prepared. The examiner will be your own teacher, who knows what you can do and should be attempting to help you to show off your knowledge. It is possible to work out from the GCSE syllabus what is likely to come up.

Practical things you can do to improve your performance in the Speaking test include the following:

1 Make sure you know what the requirements are for the test you will be doing. The requirements are slightly different for Foundation and Higher Tier candidates. If you are not sure what is involved make sure your teacher has told you and that you have a written note of what to expect.

2 Speaking tests will be tape-recorded. So get used to speaking into a microphone and having your voice recorded. Teenagers are often a bit self-conscious about the sound of their own voice. However, familiarity with being recorded will reduce your anxiety.

3 Try and work out what role-play exercises could be set. There are, for example, only so many things that you could need to say when buying a railway ticket. In addition, you should make sure you know the basic phrases which are useful in many situations, for example:
   - Ich möchte . . .   *I would like . . .*
   - Was kostet das?   *How much is it?*
   - Um wieviel Uhr . . . ?   *At what time . . . ?*
   - Wo ist . . . ?   *Where is . . . ?*
   - Gibt es . . . ?   *Is there . . . ?*

4 For general conversation, you can work out again from the list of topics in the syllabus what you are likely to be asked. Make sure you have a few well-prepared sentences to say about, for example, your actual hobbies. Prepare at least these topics:
   - hobbies
   - school
   - family
   - your daily routine
   - your local area
   - holidays and visits to German-speaking countries
   - your future plans.

About a couple of minutes' worth on each should be sufficient.

5 Take any mock Speaking test seriously. They are actually quite expensive to organise, and you will probably only get one chance. There is nothing quite like the experience of actually doing the Speaking test, on your own, to show you what it will be like. Because your teacher will be your examiner for Speaking, it's an especially valuable opportunity.

6 As well as practising with your teacher, you should also practise with a friend from your class. They could, for example, ask you some questions you had prepared and record you.

7 Look carefully at all role-play material in your textbook and make sure you can do it from memory.

8 Textbooks also contain sets of questions about certain topics such as free time, school, etc. Make sure you can do these, too, as preparation for the conversation section. There is a very good set in Roy Dexter and Chris Watson: *Ja!* (Longman). Alternatively, *GCSE German – Your Speaking Test Guide* is available at £2.50 only from Malvern Language Guides, PO Box 76, Malvern WR14 2YP (Tel: 01684 577433).

9 When answering questions, avoid incomplete sentences or answers which are just *Ja* and *Nein* or, say, the name of a British TV programme (*Eastenders*). Look for opportunities to say more than one sentence in reply; you are most unlikely to say too much, but it is very easy to say too little. Practise what you are going to say and how you are going to say it beforehand. Only the very best candidates can think on their feet and achieve reasonable fluency in German. Even good candidates enhance their performance considerably by preparation.

10 Ask your teacher to play you (anonymously) recordings of previous oral examinations, or of sample oral examinations provided by the examining group, with both good and bad performances, and to point out the good and bad features to you. It's very instructive.

PREPARING LISTENING

Let us look now at Listening. This is the most difficult skill to revise on your own, because it isn't always easy to come by suitable materials. However, if you take a little trouble it is surprising how much German you can hear without ever setting foot in Germany. Let us try to list these opportunities.

1 There are occasionally German films on TV, on both BBC and Channel 4. Sometimes they are shown quite late, but if you have access to a video recorder you can probably view them at a reasonable hour. Some of the language in them is difficult, but the advantage for you is that there are subtitles which will help you to absorb the German that you can manage that much more easily. Often, films that are shown outside Germany are good films, quite apart from their value to you as a learner of German.

2 Also on TV, there are beginners' and intermediate courses in German. These are ideal for you. The simpler ones will be well within your grasp, while the more difficult ones may well be at a level comparable with what you are doing in school. You can find out times from the press, *Radio Times* and *TV Times*. Your teacher may know when schools programmes are on. Look for:
   - *Deutsch Direkt* (BBC) – a bilingual presenter does lively interviews with a range of teenagers
   - *The German Programme* (ITV) – a range of topic-based materials aimed at GCSE students
   - *Hallo aus Berlin* (BBC) – up-to-date scenes from Berlin with simple language
   - *Treffpunkt* (BBC) – quite difficult language with a variety of scenes
   - *Treffpunkt Österreich* (BBC) – more of the same, but from Austria; contains a memorable body-building sequence.

Schools may well have these recorded. You could ask your teacher to make them available to you in the lunch-hour if they are not already included in your lessons. It may also be possible to find recordings of older broadcasts in school.

3 If you have access to satellite TV you should be able to receive a large number of German programmes. These include all the main German terrestrial channels, as well as some material which is only on satellite. Occasional doses will do no harm, and may do some good. There is quite a lot of football shown free. At the time of writing (early 1997) the following German-language stations could be received free by the authors:

Name	Notes
ARD*	The same as a mainstream German terrestrial TV channel
BAYERN 3*	A German regional channel from Bavaria
DSF*	Lots of sport
MDR*	A German regional channel from the East of Germany
N3*	A German regional channel from Hamburg
NTV	A German news and business channel with good-quality documentaries
PRO 7*	Specialised satellite channel
RTL*	From Luxembourg: lots of dubbed American and British series
RTL2*	From Luxembourg: lots of cartoons
S3*	A German regional channel from Frankfurt am Main
SAT 1*	Specialised satellite channel
TELECLUB	Lots of films
VOX	Lots of films
WEST 3*	A German regional channel from the Cologne area
ZDF*	The same as a mainstream German terrestrial TV channel; like BBC2
3SAT*	Specialised satellite channel; includes some Swiss input (with sub-titles in German so the Germans can understand it!)

* Has teletext which can also be received

4 Most textbooks in use in school for GCSE have cassettes which go with them. You could ask your teacher to make them available to you so you can re-work Listening exercises done in class. You could also ask your school librarian to stock them.

5 There are also courses on sale in booksellers (or – a cheaper option – available in your public library) which are aimed at travellers and tourists, with titles like *Survive in German* (Longman) or *Get by in German* (BBC Publications) and *Travellers' German* (Hugo). If your local library doesn't have them, you could ask the librarian to get them for you if you can afford to wait a little. Look for the ones with cassettes as a major part of them. These are likely to be useful in preparing for the Foundation role-plays as they tend to concentrate on such things as booking hotel rooms, shopping, and dealing with restaurants and filling stations.

6 BBC Schools Radio and their 'Learning Zone' slot on Radio 4 Long Wave on Sunday evening have programmes concerned with German. Alternatively, ask your teacher to make them available to you.

7 Be friendly to German-speaking visitors in your locality (for example an exchange with younger pupils). You will probably find that the young German people are pleased to talk to you in German. Ask them about such things as schools and their family and their journey as a starting point. Their teachers might also be happy to talk to you.

8 If your school is fortunate enough to have a German Assistant, be sure to take his/her sessions seriously.

9 Make the most of Listening practice in your lessons.

So there are quite a number of ways of hearing lots of German spoken. Some of these are more enjoyable than others. The most important thing is to try to hear as much as you can as often as you can, and not to be put off by the apparent speed at which 'they' speak. The more practice you have, the easier it gets.

PREPARING READING

Reading should not be a skill which is too difficult to practise. The more you read, the better. For GCSE, you need to read a variety of texts ranging from train timetables to articles in teenage magazines, so it is unwise to stick to just one sort of reading material. I have given some suggested sources below.

1 Your German textbook will have a large amount of material in it, specifically chosen to meet the range of topics set for GCSE. You will certainly benefit from spending time working through texts you have previously done in class, or those which your teacher has decided to miss out. Use the vocabulary at the back to help you. Make a note of words you don't know without looking up – that is the first step to learning them.

2 Your school or local library may well have a variety of easy books in German. Some are available with English translations of the same stories. Look out for:
   - *Asterix*
   - *Tintin*
   - *The Mr Men*
   European Schoolbooks Ltd, Ashville Trading Estate, The Runnings, Cheltenham GL51 9PQ (Tel: 01242 245252) stock these and a very wide range of other material not easily available elsewhere.

3 You could ask your teacher if there are any out-of-date textbooks in the back of the book cupboard. Old-fashioned first-year books can be quite amusing, and will reinforce your knowledge of things you learned long ago.

4 As well as old textbooks, your teacher may have back numbers of magazines designed for learners of German, or you could subscribe to them direct. Popular suitable titles include, in order of difficulty:
   - *Das Rad*
   - *Schuss*
   - *Der Roller*
   These can be obtained from Mary Glasgow Magazines, Building 1, Kineton Road Industrial Estate, Southam CV33 0DG (Tel: 01926 815560, Fax: 01926 815563).

   A more difficult magazine – probably suitable only for the best candidates – is *Authentik* available from Customer Services, Authentik, 27 Westland Square, Dublin 2, Eire (Tel: 00 353 16 771512). Authentik accepts cheques in pounds sterling (Tel: 0800 387027).

5 Buy an occasional edition of German newspapers such as *Die Welt*, or a magazine such as *Neue Revue*. It's important to be familiar with journalistic style, as some of the texts set in Reading are taken directly from newspapers. Read not only the stories, but also the adverts, large and small. They're very popular with question-setters. German magazines are available in many public libraries, or at a newsagent's near the railway stations of larger towns.

PREPARING WRITING

For Writing there is no doubt that a high standard of accuracy will improve your marks no end. However, accuracy can be difficult to improve unless you are systematic. Make sure that you know the fundamentals of **grammar**, for example, how verbs are formed in all tenses and persons, when to use the different tenses and how to make adjectives agree. Revise a grammar topic each week in the run-up to the examination. Your teacher should be able to provide you with a skeleton list of the grammar needed for GCSE. The other area to make sure of is vocabulary. Learn not only the word, but also its spelling (including accents), its plural and its gender.

As well as accuracy, GCSE examiners will be awarding marks for **getting the message across**. So it is **vitally important** to do exactly what the question tells you. You should also be sure to write at least the number of words you have been told to.

Make sure you know the beginnings and ends of letters, and the sorts of phrases which commonly occur in such things as letters booking accommodation, invitations to a pen-friend to stay, and so on.

Finally, look back at any written work you have done over the course. Try doing some of the questions again after noting the mistakes you made last time.

PREPARING COURSEWORK

Not all syllabuses offer coursework. Those which do, offer it in Writing or Speaking or, in some cases, both. Some of the coursework is done under controlled conditions; other parts may be done over a longer period of time. Your teacher will know how many pieces of coursework you need to submit (usually three), and when the final deadline is. In general, your teacher will be able to select the best work from the pieces you have submitted, so submit plenty. As coursework is marked to final GCSE standard, it may be that you should aim to complete your best pieces of work in the last couple of terms of your course.

You will probably be able to re-draft some pieces of coursework after your teacher has seen them. The exam boards have rules about what a teacher can or cannot say when seeing a first draft. In general, your teacher can say things like:

'Had you considered checking the adjective agreements?'
'Would some more sequence words improve this?'
'Why don't you write a little more?'
'This is a great deal longer than is necessary – go for quality, not quantity.'

Your teacher should not, however, point out specific mistakes and should certainly not correct the whole thing, as your teacher is required to certify that coursework is your own work. This also means that you should not seek help from anyone else. It is, actually, quite easy to spot if a native speaker or an adult has helped a GCSE student. Using such help could invalidate your entry.

In the case of Speaking coursework, the actual speaking is naturally done by the candidate. Beware of being under-prepared. A reasonable way of proceeding might be to write a series of notes or even connected prose about a coursework topic as a stepping stone to oral fluency. Try to imagine what else the teacher could ask you about the topic and prepare some strategies for changing back to a part of the topic you feel happier about.

CONCLUSION

Students who spend a little extra time on German over and above their lesson and homework time do better than those who don't. Systematic and well-organised students enjoy their studies **and** their leisure time more, and generally do well. Join them!

part II

Summaries of the main methods of assessment with practice questions

Vocabulary

The GCSE topics cover the five Areas of Experience as laid down in the National Curriculum and are examined in all four skills (Reading, Listening, Speaking and Writing):

A *Everyday Activities*

► School
► Classroom vocabulary
► Home
► Media
► Health and fitness
► Food and drink

B *Personal and Social Life*

► Self, family and friends
► Free time, holidays, special occasions
► Personal relationships, social activities
► Leisure and entertainment
► Arranging a meeting or activity

C *The World Around Us*

► Town and countryside
► Road directions
► Shopping
► Public services
► Travel by public transport

D *The World of Work*

► Further education and training
► Careers and employment
► Advertising
► Communication, IT

E *The International World*

► Tourism
► Accommodation
► Life in other countries
► The wider world

In order to do well in your GCSE examination you need to know the vocabulary relating to these areas. Below you will find lists of words arranged in topics. Each list is divided into 'absolutely essential', 'quite useful to know' and 'for the perfectionist'. This helps you to get started, and you can tick off those sections which you know.

Useful hint

When learning vocabulary, 'a little regularly' is better than trying to learn a long list for hours.

Try copying words onto index cards with the German word on one side and the English translation on the other. You can then put the words into a small box, divided into: 'known really well', 'not so sure' and 'not known yet'. When revising you can concentrate on one section until in the end all words should be in the 'known really well' group. Use the odd ten minutes here and there to learn and revise words or work with a partner, testing each other.

Alternatively, you may want to speak the words and their meanings onto tape and then listen to them when travelling to school, for example. Don't forget to record them both ways: German–English and English–German. Use the pause button to give you time to think before you hear the correct answer.

Another fun way of remembering words is creating some funny sentences or mnemonics: e.g. *die Gabel* – something you gobble your food with (i.e. a fork), *das Messer* – you could get seriously messed up with one of them (i.e. a knife); or to help you to remember which word means 'lake' and which 'sea' (*der See* or *die See*) – 'how dare you jump into my lake' ⇒ *der See* and 'You'll die if you cannot swim in here' ⇒ *die See*.

Try various methods of vocabulary revision until you have found the one which suits you best.

VOCABULARY LISTS

Verbs with * take *sein*. Verbs with an underlined prefix (<u>an</u>kreuzen) are separable.

General vocabulary

Absolutely essential ·

	alt	*old*		klein	*small*
	bitte	*please*		können	*to be able to*
	blau	*blue*		müssen	*must*
	danke	*thank you*		nicht	*not*
	gelb	*yellow*		rot	*red*
	gern	*like*		schwarz	*black*
	(Ich koche gern.)	(*I like cooking.*)		sein	*to be*
	groß	*big, tall*		sollen	*should*
	grün	*green*		weiß	*white*
	haben	*to have*		wollen	*to want to*
	jung	*young*			

Quite useful ·

	endlich	*finally*		langweilig	*boring*
	es gibt	*there is/are*		morgen	*tomorrow*
	furchtbar	*awful*	die	Nacht (Nächte)	*night*
	gefallen	*to like*		schnell	*fast*
	(Es gefällt mir.)	(*I like it.*)		Spaß machen	*to be fun*
	heute	*today*	die	Stunde (-n)	*hour*
	interessant	*interesting*	der	Tag (-e)	*day*
das	Jahr (-e)	*year*	die	Uhr (-en)	*hour, clock*
	jetzt	*now*		werden* (wird,	
	kurz	*short*		wurde, geworden)	*to become*
	langsam	*slow*	die	Woche (-n)	*week*

For the perfectionist ....

am liebsten	*like most*		sauber	*clean*
(Am liebsten	(*I like playing tennis*		schlecht	*bad*
spiele ich Tennis.)	*most of all.*)		sofort	*at once, immediately*
bald	*soon*		später	*later*
dann	*then*		viel	*much, many*
genau	*exactly*		vielleicht	*perhaps*
hoffentlich	*hopefully*	das	Viertel (-)	*quarter*
letzt	*last*		wahrscheinlich	*probably*
manchmal	*sometimes*		wenig	*a little, few*
nachher	*afterwards*	der	Werktag (-e)	*working day*
nie	*never*		ziemlich	*rather*

Acronyms ....

ADAC	*equivalent to AA or RAC*	E-111 Schein	*the E-111 form*
		EU	*European Union*
AIDS	*AIDS*	IC	*Inter City (train)*
AOK	*equivalent of health service (state-run)*	LKW	*lorry*
		MwSt	*VAT*
BRD	*Federal Republic of Germany*	PKW	*car*
		SB	*self-service*
CD	*compact disc*	usw.	*etc.*
DB	*German Federal Railways*	U-Bahn	*underground*
		z.B.	*e.g.*

Social conventions ....

Achtung!	*Attention! Watch out!*	guten Morgen	*good morning*
alles Gute	*all the best*	guten Tag	*good day*
auf Wiederhören	*goodbye (on the phone)*	Hallo!	*Hello!*
auf Wiedersehen	*goodbye*	Herzlichen Glückwunsch!	*Congratulations!*
Entschuldigung	*excuse me*		
es grüßt Dich herzlichst	*most friendly greetings to you*	Hilfe!	*Help!*
		ja	*yes*
es hat geklappt	*it worked*	ja, sicher	*yes, certainly*
es kommt darauf an	*it depends*	keine Ahnung	*no idea*
es macht nichts	*it does not matter*	Pech haben	*to have bad luck*
es tut mir leid	*I am sorry*	Prost!	*Cheers!*
fröhliche Weihnachten	*merry Christmas*	recht haben	*to be right*
		Stimmt das?	*Is it correct?*
Gesundheit!	*Bless you!*	Stimmt so!	*Keep the change!*
gute Besserung	*get well soon*	Tschüß	*Goodbye, bye*
gute Nacht	*good night*	Viel Glück!	*Good luck!*
gute Reise	*have a good journey*	Viel Spaß!	*Have fun!*
guten Abend	*good evening*	Vorsicht	*watch out*
guten Appetit	*have a nice meal*	Zum Wohl!	*Cheers!*

Prepositions ....

an (+ Dat. or Acc.)	*at*	entlang (+ Acc.)	*along*
auf (+ Dat. or Acc.)	*on*	gegen (+ Acc.)	*against, towards*
		gegenüber (+ Dat.)	*opposite*
aus (+ Dat.)	*from, out of*	hinter (+ Dat. or Acc.)	*behind*
bei (+ Dat.)	*at*		
bis	*until*	in (+ Dat. or Acc.)	*in*
durch (+ Acc.)	*through*	mit (+ Dat.)	*with*

nach (+ Dat.)	*after*		von (+ Dat.)	*from*
seit (+ Dat.)	*since*		vor	*in front of*
über	*over*		(+ Dat. or Acc.)	
(+ Dat. or Acc.)			zu (+ Dat.)	*to*
um (+ Acc.)	*around*		zwischen	*between*
unter	*under*		(+ Dat. or Acc.)	
(+ Dat. or Acc.)				

Question words . . . .

wann	*when*	wie	*how*
warum	*why*	wieviel	*how much/many*
was	*what*	wo	*where*
welche	*which*	woher	*where from*
wer	*who*	wohin	*where to*

Quantities . . . .

beide	*both*	Gramm	*gram*
ein bißchen	*a little*	Kilo	*kilo*
ein paar	*a couple, a few*	Liter	*litre*
einige	*some*	Pfund	*pound*
etwas	*some*	viel	*much/many*
genug	*enough*	wenig	*a little*

Months, days and seasons . . . .

Januar	*January*		Sonntag	*Sunday*
Februar	*February*		Montag	*Monday*
März	*March*		Dienstag	*Tuesday*
April	*April*		Mittwoch	*Wednesday*
Mai	*May*		Donnerstag	*Thursday*
Juni	*June*		Freitag	*Friday*
Juli	*July*		Samstag	*Saturday*
August	*August*		Sonnabend	*Saturday*
September	*September*	der	Frühling	*spring*
Oktober	*October*	der	Sommer	*summer*
November	*November*	der	Herbst	*autumn*
Dezember	*December*	der	Winter	*winter*

A Everyday Activities

Part one

Absolutely essential . . . .

	anfangen	*to begin*		besuchen	*to attend (a school)*
	(fängt an, fing an,			Biologie	*biology*
	angefangen)		der	Bleistift (-e)	*pencil*
	ankreuzen	*to tick*	das	Buch (Bücher)	*textbook*
die	Antwort (-en)	*answer*		buchstabieren	*to spell*
	antworten	*to answer*		Chemie	*chemistry*
	aufschlagen	*to open (a book)*		dauern	*to last*
	(schlägt auf,			Deutsch	*German*
	schlug auf,		der	Direktor (-en)/	*headteacher*
	aufgeschlagen)			Direktorin (-nen)	
	bestehen (besteht,	*to pass (an exam)*		durchfallen* (fällt	*to fail*
	bestand,			durch, fiel durch,	
	bestanden)			durchgefallen)	

	enden	*to end*
	Erdkunde	*geography*
	falsch	*false*
	fertig	*ready, finished*
	fragen	*to ask*
	Französisch	*French*
die	Fremdsprache (-n)	*foreign language*
die	Gesamtschule (-n)	*comprehensive school*
das	Gymnasium (Gymnasien)	*grammar school*
die	Hausaufgabe (-n)	*homework*
das	Heft (-e)	*exercise book*
der	Hof (Höfe)	*yard, school playground*
die	Klasse (-n)	*class*
die	Klassenfahrt (-en)	*school trip*
der	Kuli (-s)	*biro*
	Kunst	*art*
das	Labor (-s)	*laboratory*
der	Lehrer (-)/die Lehrerin (-nen)	*teacher*
	lernen	*to learn*
	lesen (liest, las, gelesen)	*to read*
	Mathematik (Mathe)	*mathematics (maths)*
	Naturwissenschaften (Biologie ist eine Naturwissenschaft)	*science (Biology is a natural science)*
die	Note (-n)	*mark, grade*
das	Papier (-e)	*paper*

die	Pause (-n)	*break*
	Physik	*physics*
die	Prüfung (-en)	*examination*
	rechnen	*to calculate*
	Religion	*RE*
	richtig	*correct*
	schreiben (schreibt, schrieb, geschrieben)	*to write*
die	Schule (-n)	*school*
der	Schüler (-)/die Schülerin (-nen)	*pupil*
	sitzenbleiben* (bleibt sitzen, blieb sitzen, sitzengeblieben)	*to repeat a year*
	Sport	*PE, games*
	stimmen	*to be correct*
die	Stunde (-n)	*lesson*
die	Tafel (-n)	*blackboard*
die	Turnhalle (-n)	*gymnasium*
	vergessen (vergißt, vergaß, vergessen)	*to forget*
	verstehen (versteht, verstand, verstanden)	*to understand*
	wiederholen	*to repeat*
das	Wörterbuch (-bücher)	*dictionary*
	zuhören	*to listen*

Quite useful . . . .

	abnehmen (nimmt ab, nahm ab, abgenommen)	*to lose weight*
	atmen	*to breath*
	aufpassen	*to pay attention*
	bedeuten	*to mean*
das	Blut (no plural)	*blood*
	brechen (bricht, brach, gebrochen)	*to break*
die	Brust (Brüste)	*breast*
das	Drama (Dramen)	*drama*
die	Drogerie (-n)	*drug-store*
sich	erholen	*to recover*
sich	erkälten	*to catch a cold*
	fertig sein	*to have finished*
sich	fühlen	*to feel*
der	Füller (-)	*ink-pen*
das	Gesicht (-er)	*face*
die	Informatik (no plural)	*IT*
die	Kantine (-n)	*canteen*
der	Kassettenrecorder (-)	*cassette recorder*
	kopieren	*to copy*

das	Kreuz (-e)	*cross*
das	Lineal (-e)	*ruler*
der	Magen (Mägen)	*stomach*
	messen (mißt, maß, gemessen)	*to measure*
die	Mittagspause (-n)	*lunch break*
	müde	*tired*
	noch mal	*once again*
	nötig	*necessary*
die	Pille (-n)	*pill, tablet*
	rauchen	*to smoke*
	retten	*to rescue*
	schlimm	*bad*
	schneiden (schneidet, schnitt, geschnitten)	*to cut*
die	Schulter (-n)	*shoulder*
der	Sonnenbrand (-brände)	*sun burn*
der	Stundenplan (-pläne)	*timetable*
der	Test (-s)	*test*
	weinen	*to cry*

das	Werken (no plural)	*Design and Technology (school subject)*		zunehmen (nimmt zu, nahm zu, zugenommen)	*to gain weight*
	wiederholen	*to repeat*			
der	Zahn (Zähne)	*tooth*			

For the perfectionist

	ausgezeichnet	*excellent*	der	Nagel (Nägel)	*nail*
	befriedigend	*satisfactory*	der	Notfall (-fälle)	*emergency*
die	Behandlung (-en)	*treatment*		operieren	*to operate*
	blaß	*pale*	das	Pflaster (-)	*sticking plaster*
der	Daumen (-)	*thumb*		pünktlich	*on time*
	drogenabhängig	*addicted to drugs*	die	Qualifikation (-en)	*qualification*
	erfolgreich	*successful*		rechnen	*to calculate*
das	Ergebnis (-se)	*result*		schützen	*to protect*
	faulenzen	*to laze about*		schwierig	*difficult*
	fehlen	*to be absent*		schwindelig	*dizzy*
	gestorben	*dead*	das	Semester (-)	*semester*
der	Haken (-)	*tick*	die	Sorge (-n)	*worry*
das	Heimweh (no plural)	*home sickness*	die	Sprechstunde (-n)	*consultation time*
			der	Tageslichtprojektor (-en)	*overhead projector*
das	Herz (-en)	*heart*			
	husten	*to cough*	der	Taschenrechner (-)	*pocket calculator*
	klug	*clever*		übel	*sick, bad*
der	Körper (-)	*body*	das	Unglück (-e)	*misfortune*
der	Krankenpfleger (-)/ die Kranken- schwester (-n)	*nurse*	die	Verbesserung (-en)	*correction*
				verstopft	*constipated*
				vorbereiten	*to prepare*
das	Lehrerzimmer (-)	*staff-room*	das	Wahlfach (-fächer)	*optional subject*
die	Leistung (-en)	*achievement*		wichtig	*important*
	mangelhaft	*unsatisfactory*	die	Zunge (-n)	*tongue*

Part two

Absolutely essential

	abtrocknen	*to dry up*	das	Geschirr (no plural)	*crockery*
das	Badezimmer (-)	*bathroom*		gesund	*healthy*
das	Bein (-e)	*leg*	die	Grippe (no plural)	*flu*
	bestellen	*to order*	die	Gruppe (-n)	*group*
das	Bett (-en)	*bed*	das	Hähnchen (-)	*chicken*
das	Bier (-e)	*beer*	die	Halsschmerzen (plural only)	*sore throat*
der	Couchtisch (-e)	*coffee table*			
der	Durchfall (no plural)	*diarrhoea*	das	Hauptgericht (-e)	*main course*
			das	Haus (Häuser)	*house*
das	Einfamilienhaus (-häuser)	*house*		heiß	*hot*
			der	Kaffee (-s)	*coffee*
	essen (ißt, aß, gegessen)	*to eat*	der	Kellner (-)/die Kellnerin (-nen)	*waiter/waitress*
das	Fenster (-)	*window*		kochen	*to cook*
	fernsehen (sieht fern, sah fern, ferngesehen)	*to watch TV*	die	Kopfschmerzen (plural only)	*headache*
				krank	*ill*
der	Film (-e)	*film*	die	Küche (-n)	*kitchen*
die	Garage (-n)	*garage*	der	Kuchen (-)	*cake*
der	Garten (Gärten)	*garden*	der	Kühlschrank (-schränke)	*fridge*
das	Gemüse (no plural)	*vegetable(s)*			

	lecker	delicious
die	Limonade (-n)	lemonade
das	Obst (no plural)	fruit
	putzen	to clean
das	Radio (-s)	radio
	scharf	hot, spicy
das	Schlafzimmer (-)	bedroom
	schmecken	to taste
die	Sendung (-en)	broadcast, TV programme
der	Sessel (-)	armchair
das	Sofa (-s)	settee
die	Speisekarte (-n)	menu
	spülen	to wash up
der	Stuhl (Stühle)	chair
die	Suppe (-n)	soup

die	Tasse (-n)	cup
der	Tisch (-e)	table
die	Torte (-n)	gateau
	trinken (trinkt, trank, getrunken)	to drink
die	Tür (-en)	door
	wehtun (tut weh, tat weh, wehgetan)	to hurt
	wohnen	to live
das	Wohnzimmer (-)	living room
die	Wurst (Würste)	sausage
	zahlen	to pay
die	Zahnschmerzen (plural only)	toothache
das	Zimmer (-)	room

Quite useful . . . .

	ausschalten	to switch off
das	Abendessen (-)	evening meal
der	Bauernhof (-höfe)	farm
der	Baum (Bäume)	tree
	bedeckt	overcast
	bedienen	to serve
	bestellen	to order
	bewölkt	cloudy
das	Bier (-e)	beer
die	Birne (-n)	pear
der	Blumenkohl (-s)	cauliflower
	decken	to lay (table)
die	Dose (-n)	tin
	durstig	thirsty
die	Erbse (-n)	pea
das	Erdgeschoß	ground floor
das	Feld (-er)	field
	feucht	moist
das	Feuer (-)	fire
	flach	flat
das	Fleisch (no plural)	meat
die	Gabel (-n)	fork
das	Gasthaus (-häuser)	pub, inn
	gestreift	striped
das	Glatteis (no plural)	black ice
der	Grad (no plural)	degree
das	Gras (Gräser)	grass
nach	Hause	home
der	Himmel (-)	sky
	inbegriffen	included
sich	kämmen	to comb one's hair
die	Kneipe (-n)	pub
der	Kohl (-s)	cabbage
die	Kuh (Kühe)	cow
	kühl	cool
die	Küste (-n)	coast
die	Landschaft (-en)	landscape

die	Lebensmittel (plural only)	food
der	Löffel (-)	spoon
das	Mehl	flour
die	Möbel (plural only)	furniture
	nachschauen	to look after, to check
die	Nuß (Nüsse)	nut
die	Pfanne (-n)	frying pan
die	Pflanze (-n)	plant
der	Rasen (-)	lawn
der	Raum (Räume)	room
das	Regal (-e)	shelf
der	Regenschirm (-e)	umbrella
	reichen	to pass
die	Sahne (no plural)	cream
	satt	full (not hungry)
die	Scheibe (-n)	slice
	scheinen (scheint, schien, geschienen)	to shine
	schließen (schließt, schloß, geschlossen)	to close, shut
der	Schnee (no plural)	snow
das	Schwein (-e)	pig
das	Spiegelei (-er)	fried egg
der	Stein (-e)	stone
der	Stock (-)	floor, storey
das	Stück (-e)	piece
	süß	sweet
der	Topf (Töpfe)	saucepan
die	Traube (-n)	grape
die	Treppe (-n)	stairs
der	Vorhang (Vorhänge)	curtain

der	Wald (Wälder)	*forest, wood*	der	Wetterbericht (-e)	*weather report*
die	Wand (Wände)	*wall*	die	Wolke (-n)	*cloud*
	wechselhaft	*changeable*		zu Hause	*at home*

For the perfectionist . . . .

das	Abgas (-e)	*exhaust fumes*	der	Katalysator (-en)	*catalytic converter*
das	Altpapier (-e)	*waste paper*		kauen	*to chew*
die	Ananas (-)	*pineapple*		klar	*clear*
die	Aprikose (-n)	*apricot*	das	Klima (-s)	*climate*
	aufwachen	*to wake up*	der	Korb (Körbe)	*basket*
der	Aufzug (-züge)	*lift*		köstlich	*delicious*
die	Badewanne (-n)	*bath tub*	das	Kotelett (-s)	*cutlet*
die	Baumwolle (no plural)	*cotton*	der	Lärm (no plural)	*noise*
	betrunken	*drunk*	die	Leberwurst (-würste)	*liver sausage*
	braten (brät, briet, gebraten)	*to fry*	das	Lokal (-e)	*pub, bar*
die	Bratkartoffeln (plural only)	*fried potatoes*	die	Luft (Lüfte)	*air*
	bürsten	*to brush*	der	Müll (no plural)	*rubbish*
der	Dachboden (-böden)	*loft*	der	Nebel (no plural)	*fog*
die	Decke (-n)	*ceiling*	das	Pfand (Pfänder)	*deposit*
das	Doppelhaus (-häuser)	*semi-detached house*		pflücken	*to pick*
die	Einkaufsliste (-n)	*shopping list*		recyceln	*to recycle*
der	Essig (no plural)	*vinegar*	die	Schere (-n)	*pair of scissors*
	fließen* (fließt, floß, geflossen)	*to flow*	der	Schlüssel (-)	*key*
	fressen (frißt, fraß, gefressen)	*to eat (of animals)*	der	Spiegel (-)	*mirror*
	frieren (friert, fror, gefroren)	*to freeze*	der	Stern (-e)	*star*
der	Fußboden (-böden)	*floor*	der	Tannenbaum (-bäume)	*fir-tree*
das	Gebäck (no plural)	*biscuits*	die	Tapete (-n)	*wallpaper*
das	Gebirge (-)	*mountain range*	die	Terrasse (-n)	*patio*
das	Gericht (-e)	*dish*		tief	*low, deep*
der	Haushalt (-e)	*household*		überall	*everywhere*
die	Himbeere (-n)	*raspberry*	das	Ufer (-)	*shore, river bank*
aus	Holz	*(made) of wood*		umweltfeindlich	*hostile to the environment*
der	Hügel (-)	*hill*		umweltfreundlich	*good for the environment*
der	Käfig (-e)	*cage*	die	Verschmutzung (-en)	*pollution*
das	Kalbfleisch (no plural)	*veal*		wach	*awake*
			die	Wettervorhersage (-n)	*weather forecast*
			der	Wohnsitz (-e)	*place of residence*

B   Personal and Social Life

Absolutely essential . . . .

die	Anschrift (-en)	*address*		einkaufen	*to buy, go shopping*
der	Ausflug (Ausflüge)	*outing, day trip*		einladen (lädt ein, lud ein, eingeladen)	*to invite*
	ausgehen* (geht aus, ging aus, ausgegangen)	*to go out*	die	Einladung (-en)	*invitation*
der	Besuch (-e)	*visit*	das	Einzelkind (-er)	*only child*
der	Bruder (Brüder)	*brother*	die	Familie (-n)	*family*

die	Ferien (plural only)	*holidays*		Rollschuh laufen*	*to roller skate*
die	Freizeit (no plural)	*spare time*		(läuft, lief,	
sich	freuen auf	*to look forward to*		gelaufen)	
der	Freund (-e)/die	*friend*		sammeln	*to collect*
	Freundin (-nen)			schlank	*slim*
	freundlich	*friendly*		schön	*nice, pretty*
der	Fußball (-bälle)	*football*	die	Schwester (-n)	*sister*
	geboren	*born*	das	Schwimmbad	*swimming pool*
der	Geburtstag (-e)	*birthday*		(-bäder)	
die	Großeltern	*grandparents*		Ski fahren*	*to ski*
	(plural only)			(fährt Ski, fuhr	
	häßlich	*ugly*		Ski, Ski gefahren)	
das	Hobby (-s)	*hobby*	der	Sohn (Söhne)	*son*
der	Hund (-e)	*dog*		spielen	*to play*
das	Instrument (-e)	*instrument*	das	Sportzentrum	*sports centre*
der	Jugendklub (-s)	*youth club*		(-zentren)	
die	Katze (-n)	*cat*	die	Staatsangehörigkeit	
	kegeln	*to play skittles*		(-en)	*nationality*
das	Kino (-s)	*cinema*	die	Tante (-n)	*aunt*
das	Klavier (-e)	*piano*		tanzen	*to dance*
die	Kusine (-n)	*(female) cousin*	das	Theater (-)	*theatre*
	launisch	*moody*	die	Tochter (Töchter)	*daughter*
die	Mannschaft (-en)	*team*		treffen (trifft, traf,	*to meet*
das	Mitglied (-er)	*member*		getroffen)	
die	Mutter (Mütter)	*mother*		treiben (treibt,	*to practise (a sport)*
	nett	*nice, cheerful*		trieb, getrieben)	
der	Onkel (-s)	*uncle*		unternehmungs-	*likes doing lots of*
	radfahren*	*to cycle*		lustig	*things*
	(fährt Rad,		der	Vater (Väter)	*father*
	fuhr Rad,			wandern	*to hike*
	radgefahren)		der	Wellensittich (-e)	*budgie*
	reiten* (reitet, ritt,	*to ride*	der	Wohnort (-e)	*place of residence*
	geritten)				

Quite useful . . . .

	altmodisch	*old-fashioned*	das	Hemd (-en)	*shirt*
	anhaben (hat an,	*to wear*	der	Hut (Hüte)	*hat*
	hatte an, angehabt)		die	Jacke (-n)	*jacket, blazer*
der	Anzug (Anzüge)	*suit*		kennenlernen	*to get to know*
die	Armbanduhr (-en)	*wrist-watch*	die	Krawatte (-n)	*tie*
der	Bart (Bärte)	*beard*		ledig	*single*
	bekannt	*known*		männlich	*male*
der	Bekannte (-n)	*acquaintance*	der	Mantel (Mäntel)	*coat*
die	Beschreibung (-en)	*description*	der	Ohrring (-e)	*earring*
die	Bluse (-n)	*blouse*		reich	*rich*
	denken an (denkt,	*to think*	der	Schal (-s)	*scarf*
	dachte, gedacht)			schicken	*to send*
	froh	*happy*		sympathisch	*nice, friendly*
der	Gast (Gäste)	*guest*	das	Taschengeld (-er)	*pocket money*
der	Gürtel (-)	*belt*	das	Taschentuch	*handkerchief*
das	Haar (-e)	*hair*		(-tücher)	
die	Halskette (-n)	*necklace*		tragen (trägt, trug,	*to wear*
der	Handschuh (-e)	*glove*		getragen)	
die	Handtasche (-n)	*handbag*		weiblich	*female*
das	Haustier (-e)	*pet*	die	Wolle (no plural)	*wool*

For the perfectionist ....

sich	ärgern	*to be annoyed*	der	Neffe (-n)	*nephew*
	begrüßen	*to greet*	die	Nichte (-n)	*niece*
	böse	*naughty*	die	Partnerstadt	*twin-town*
die	Ehefrau (-en)	*wife*		(-städte)	
der	Ehemann	*husband*		plaudern	*to chat*
	(-männer)		die	Schachtel (-n)	*(small) box*
der	Familienstand	*marital status*		schenken	*to give as a present*
	(-stände)		sich	schminken	*to put on make-up*
die	Gastfreundschaft	*hospitality*	der	Schmuck (no plural)	*jewellery*
	(no plural)		der	Schnurrbart	*moustache*
das	Geschlecht (-er)	*sex*		(-bärte)	
der	Geschmack	*taste*		schüchtern	*shy*
	(Geschmäcker)		die	Seide (no plural)	*silk*
die	Heimat (no plural)	*home*	der	Stiefel (-)	*boot*
	heiraten	*to marry*	der	Stoff (-e)	*cloth, material*
die	Hochzeit (-en)	*wedding*		stolz	*proud*
	kariert	*checked*	die	Strumpfhose (-n)	*pair of tights*
	kennen (kennt,	*to know*		tot	*dead*
	kannte, gekannt)			traurig	*sad*
der	Knopf (Knöpfe)	*button*		verlobt	*engaged*
der	Lebenslauf (-läufe)	*curriculum vitae*	der	Zwilling (-e)	*twin*

C The World Around Us

Absolutely essential ....

die	Abfahrt (-en)	*departure*	das	Gleis (-e)	*platform*
die	Ankunft (Ankünfte)	*arrival*	die	Haltestelle (-n)	*bus-stop*
die	Apotheke (-n)	*chemist's shop*	das	Kaufhaus (-häuser)	*department store*
	aussteigen* (steigt	*to get off, out of*	die	Kleidung	*clothes*
	aus, stieg aus,	*(a bus, car, train)*		(no plural)	
	ausgestiegen)			kosten	*to cost*
das	Auto (-s)	*car*	das	Land (no plural)	*countryside*
die	Bäckerei (-en)	*baker's shop*		links	*left*
der	Bahnhof (-höfe)	*station*	die	Metzgerei (-en)	*butcher's shop*
	billig	*cheap*		neblig	*foggy*
	blitzen	*to flash*	die	Öffnungszeit (-en)	*opening time*
der	Bus (-se)	*bus, coach*	die	Post (no plural)	*post office*
	donnern	*to thunder*		preiswert	*value for money*
das	Dorf (Dörfer)	*village*		probieren	*to try*
	einsteigen* (steigt	*to get on, into*	das	Rathaus (-häuser)	*town hall*
	ein, stieg ein,	*(a bus, car, train)*		rechts	*right*
	eingestiegen)			regnen	*to rain*
	entwerten	*to date stamp (a ticket)*	die	Reise (-n)	*journey*
	fahren* (fährt,	*to travel, to drive*	die	Rückfahrkarte (-n)	*return ticket*
	fuhr, gefahren)			schicken	*to send*
die	Fahrkarte (-n)	*ticket*		schneien	*to snow*
der	Flughafen (-häfen)	*airport*	das	Sonderangebot (-e)	*special offer*
	gehen* (geht, ging,	*to go*		sonnig	*sunny*
	gegangen)		die	Stadt (Städte)	*town*
	geradeaus	*straight on*		stattfinden (findet	*to take place*
das	Geschäft (-e)	*shop*		statt, fand statt,	
das	Geschenk (-e)	*present*		stattgefunden)	

die	Straße (-n)	road		die	Tüte (-n)	paper bag
die	Straßenbahn (-en)	tram		die	U-Bahn (-en)	underground
	suchen	to look for			umsteigen* (steigt	to change
der	Supermarkt (-märkte)	supermarket			um, stieg um, umgestiegen)	(trains, buses, etc.)
das	T-Shirt (-s)	T-shirt		das	Wetter (no plural)	weather
die	Tankstelle (-n)	petrol station			windig	windy
	teuer	expensive		der	Zug (Züge)	train
die	Tragetasche	plastic carrier bag		der	Zuschlag (Zuschläge)	supplement
	trocken	dry				

Quite useful ....

	angeln	to fish		das	Kaninchen (-)	rabbit
	anschauen	to look at			kostenlos	free of charge
	auf dem Lande	in the country			Lieblings-	favourite
der	Aufenthalt (-e)	stay		die	Maus (Mäuse)	mouse
	basteln	to do DIY		die	Mode (-n)	fashion
	berichtigen	to correct		das	Pferd (-e)	horse
der	Briefkasten (-kästen)	post-box		die	Polizeiwache (-n)	police station
die	Brücke (-n)	bridge		das	Schach (no plural)	chess
die	Buchhandlung (-en)	bookshop		die	Schildkröte (-n)	tortoise
das	Denkmal (Denkmäler)	monument		die	Sparkasse (-n)	bank
				der	Spaß (Späße)	fun
die	Einbahnstraße (-n)	one-way street			Sport treiben	to do sport
der	Eingang (-gänge)	entrance		der	Sportler (-)	sportsperson
die	Farbe (-n)	colour		die	Stadtmitte (-n)	town centre
der	Feierabend (-e)	free-time after work		das	Stockwerk (-e)	floor, storey
der	Feiertag (-e)	bank holiday			stricken	to knit
die	Feuerwehr (-en)	fire service			tanzen	to dance
das	Fundbüro (-s)	lost property office		die	Telefonzelle (-n)	telephone box
der	Fußball	football		das	Tier (-e)	animal
die	Fußgängerzone (-n)	pedestrian precinct			treffen (trifft, traf, getroffen)	to meet
die	Galerie (-n)	gallery				
die	Hauptstraße (-n)	main street		der	Weg (-e)	path
sich	interessieren für	to be interested in		der	Zuschauer (-)	spectator

For the perfectionist ....

	abgemacht	agreed		der	Ort (-e)	location, position, place
die	Ansichtskarte (-n)	picture postcard				
die	Aussicht (-en)	view		die	Puppe (-n)	doll
der	Automat (-en)	vending machine			rennen* (rennt, rannte, gerannt)	to run
die	Banknote (-n)	bank note				
der	Beutel (-)	bag		der	Rollschuh (-e)	roller skate
das	Boot (-e)	boat		der	Saal (Säle)	large room, hall
	bummeln	to stroll			sammeln	to collect
der	Chor (Chöre)	choir		der	Schauspieler (-)/ die Schauspielerin (-nen)	actor/actress
das	Eintrittsgeld (-er)	entrance fee				
die	Freizeit- beschäftigung (-en)	leisure activity				
				das	Schild (-er)	sign
das	Gebäude (-)	building		der	Schläger (-)	racquet, bat
die	Gegend (-en)	area		das	Schlagzeug (no plural)	drum set
	klettern	to climb				
der	Krimi (-s)	detective story		das	Schreibwaren- geschäft (-e)	stationery shop
das	Lied (-er)	song				
der	Notausgang (-gänge)	emergency exit			spannend	exciting

der	Spaziergang (-gänge)	*walk*		die	Trompete (-n)	*trumpet*
					umtauschen	*to exchange*
der	Sportverein (-e)	*sports club*		der	Vogel (Vögel)	*bird*
das	Theaterstück (-e)	*theatre play*		die	Vorstellung (-en)	*performance*
das	Tor (-e)	*gate, goal*				

D The World of Work

Absolutely essential . . . .

das	Abitur (no plural)	*A-levels (German equivalent of)*		die	Hochschule (-n)	*college of higher education*
der/ die	Angestellte (-n)	*employee*		die	Industrie (-n)	*industry*
				der	Ingenieur (-e)	*engineer*
der	Anrufbeantworter (-)	*answering machine*		das	Internet (no plural)	*Internet*
	anrufen (ruft an, rief an, angerufen)	*to phone*		der	Kaufmann (-männer)/ die Kauffrau (-en)	*business man/woman*
die	Anzeige (-n)	*advertisement*				
die	Arbeit (-en)	*work*		der	Kollege (-n)	*colleague*
	arbeiten	*to work*		die	Krankenschwester (-n)	*nurse (female)*
der	Arbeitgeber (-)	*employer*				
das	Arbeitsamt (-ämter)	*job centre*		der	Lehrling (-e)	*apprentice*
				der	Mechaniker (-)	*mechanic*
	arbeitslos	*unemployed*		die	Oberstufe (-n)	*sixth form*
der	Arbeitsplatz (-plätze)	*work place*		der	Polizist (-en)	*policeman*
				das	Schaufenster (-)	*shop window*
das	Arbeitspraktikum (-praktiken)	*work experience*		die	Sekretärin (-nen)	*secretary*
					sich bewerben	*to apply*
die	Arbeitszeit (-en)	*working hours*			speichern	*to store*
	ausrichten	*to pass on a message*		die	Stelle (-n)	*position, job*
	austragen (trägt aus, trug aus, ausgetragen)	*to distribute (e.g. newspapers)*		der	Student (-en)/die Studentin (-nen)	*student*
					studieren	*to study*
der	Beamte (-n)	*civil servant*		das	Telefon (-e)	*telephone*
der	Beruf (-e)	*job, profession*			telefonieren	*to phone*
das	Büro (-s)	*office*		die	Telefonnummer (-n)	*telephone number*
der	Chef (-s)	*boss*		die	Universität (-en)	*university*
der	Computer (-)	*computer*			verbinden (verbindet, verband, verbunden)	*to connect*
der	Drucker (-)	*printer*				
die	Ermäßigung (-en)	*reduction*				
die	Fabrik (-en)	*factory*				
die	Faxmaschine (-n)	*fax machine*			verdienen	*to earn*
	funktionieren	*to function*			verkaufen	*to sell*
das	Geld (-er)	*money*		der	Verkäufer (-)/ die Verkäuferin (-nen)	*shop assistant*
das	Gespräch (-e)	*conversation*				
	halbtags	*half-day, part-time*				
der	Handel (no plural)	*commerce*		die	Vorwahl (-en)	*telephone area code*
die	Hausfrau (-en)	*housewife*			wählen	*to dial*
der	Hilfsarbeiter (-)	*unskilled worker*		die	Werbung (-en)	*advertising*

Quite useful . . . .

die	Abteilung (-en)	*department*			außer Betrieb	*out of order*
die	Anmeldung (-en)	*registration (form)*			beilegen	*to enclose*
der	Anruf (-e)	*telephone call*			besetzt	*occupied*
	ausfüllen	*to fill in*		sich	beschweren	*to complain*

sich	bewerben	*to apply*		die	Taste (-n)	*key (on keyboard, etc.), button*
die	Bewerbung (-en)	*application*				
der	Briefträger (-)	*postman*		die	Technik (-en)	*technology*
der	Elektriker (-)	*electrician*			tippen	*to type*
der	Fotograf (-en)	*photographer*			unterschreiben	*to sign*
	führen	*to lead*			(unterschreibt,	
die	Industrie (-n)	*industry*			unterschrieb,	
der	Schneider (-)	*tailor*			unterschrieben)	
der	Soldat (-en)	*soldier*		die	Unterschrift (-en)	*signature*
	speichern	*to save (on a computer disc)*				

For the perfectionist . . . .

	auflegen	*to put the receiver down*		der	Handel (no plural)	*commerce*
				der	Hörer (-)	*receiver (telephone)*
die	Aushilfe (-n)	*temporary staff*		der	Juwelier (-e)	*jeweller*
der	Betrieb (-e)	*company*		das	Konto (Konten)	*bank account*
die	Bezahlung (-en)	*payment*		die	Leitung (-en)	*management*
das	Diplom (-e)	*diploma*		der	Notruf (-e)	*emergency phone number*
	einwerfen	*to post*				
	(wirft ein, warf ein, eingeworfen)				organisieren	*to organise*
				die	Quittung (-en)	*receipt*
sich	erkundigen	*to enquire*		die	Reklame (-n)	*advertisement*
die	Garantie (-n)	*guarantee*		der	Schalter (-)	*counter*
die	Gebrauchs- anweisung (-en)	*instructions for use*		die	Stellenanzeige (-n)	*job advertisement*
				die	Werkstatt (-stätten)	*workshop*

E The International World

Absolutely essential . . . .

	Afrika	*Africa*			Holland	*Holland*
die	Alpen	*Alps*		das	Hotel (-s)	*hotel*
	Amerika	*America*			Irland	*Ireland, Eire*
das	Ausland (no plural)	*foreign country, abroad*			Italien	*Italy*
der	Ausländer (-)	*foreigner*		die	Jugendherberge (-n)	*youth hostel*
	Belgien	*Belgium*			Köln	*Cologne*
	bleiben* (bleibt, blieb, geblieben)	*to stay*		die	Mark (-)	*Mark (German currency)*
der	Campingplatz (-plätze)	*camp-site*			München	*Munich*
	Dänemark	*Denmark*		der	Norden (no plural)	*north*
das	Doppelzimmer (-)	*double room*			Nordirland	*Northern Ireland*
das	Einzelzimmer (-)	*single room*			Norwegen	*Norway*
	Europa	*Europe*		der	Osten (no plural)	*east*
der	Franken (-)	*Franc (Swiss currency)*			Österreich	*Austria*
	Frankreich	*France*		die	Ostsee	*Baltic Sea*
das	Gasthaus (-häuser)	*inn*		der	Pfennig (-e)	*Pfennig (German currency)*
	Griechenland	*Greece*		der	Platz (Plätze)	*place, space*
der	Groschen (-)	*Groschen (Austrian currency)*			Portugal	*Portugal*
				der	Rappen (-)	*Rappen (Swiss currency)*
	Großbritannien	*Great Britain*		die	Rechnung (-en)	*bill*
die	Halbpension (no plural)	*half board*			reisen*	*to travel*
				das	Restaurant (-s)	*restaurant*

der	Schilling (-e)	Schilling (Austrian currency)		übernachten	to stay overnight
	Schottland	Scotland	die	Vereinigten Staaten	USA
	Schweden	Sweden	die	Vollpension (no plural)	full board
die	Schweiz	Switzerland		Wales	Wales
sich	sonnen	to sunbathe		wechseln	to change (money)
	Spanien	Spain	die	Wechselstube (-n)	bureau de change
der	Strand (Strände)	beach	der	Westen (no plural)	west
der	Süden (no plural)	south		Wien	Vienna
die	Tschechische Republik	Czech Republic	der	Wohnwagen (-)	caravan
die	Türkei	Turkey	das	Zelt (-e)	tent

Quite useful . . . .

	abfliegen* (fliegt ab, flog ab, abgeflogen)	to depart by plane	die	Insel (-n)	island
			die	Kreuzung (-en)	crossroads, junction
				landen	to land
der	Abflug (Abflüge)	departure (of a plane)	der	Lastwagen (-)	lorry
	abholen	to pick up, collect		losfahren* (fährt los, fuhr los, losgefahren)	to set off (by vehicle)
	abschleppen	to tow			
die	Ampel (-n)	traffic lights			
die	Ausfahrt (-en)	exit (for a vehicle)		mieten	to rent
	auspacken	to unpack	die	Möglichkeit (-en)	possibility
	bremsen	to brake	die	Nachrichten (plural only)	news bulletin
	buchen	to book			
der	Busfahrer (-)	bus driver	die	Panne (-n)	break-down (of a car, etc.)
die	Einfahrt (-en)	entrance (for a vehicle)			
			die	Raststätte (-n)	service station
	erreichen	to reach	der	Reifen (-)	tyre
	erwarten	to expect	der	Reisescheck (-s)	traveller's cheque
der	Fahrplan (-pläne)	timetable (for a bus, train, etc.)		überqueren	to cross
				verbringen (verbringt, verbrachte, verbracht)	to spend time
die	Fahrt (-en)	journey			
der	Flug (Flüge)	flight			
	fremd	foreign, strange	die	Warnung (-en)	warning
der	Führerschein (-e)	driving licence	die	Zukunft (no plural)	future
die	Gefahr (-en)	danger			
	gefährlich	dangerous			

For the perfectionist . . . .

sich	anschnallen	to fasten one's seatbelt	der	Krieg (-e)	war
	aktuell	up-to-date	die	Not (Nöte)	need
der	Badeort (-e)	seaside resort	der	Politiker (-)	politician
der	Detektiv (-e)	detective	die	Presse (no plural)	press
die	Drogenszene (-n)	drug scene	der/ die	Reisende (-n)	traveller
	einlösen	to redeem			
der	Einstieg (-e)	entrance (of a bus, train)	das	Schließfach (-fächer)	locker
			der	Tankwart (-e)	petrol station attendant
die	Empfangsdame (-n)	receptionist	der	Tarif (-e)	tariff
der	Gastarbeiter (-)	foreign worker		überholen	to overtake
die	Gebühr (-en)	fee	die	Umfrage (-n)	survey
die	Hafenstadt (-städte)	port	sich	umsehen (sieht um, sah um, umgesehen)	to look around
die	Hoffnung (-en)	hope			
das	Jahrhundert (-e)	century			
der	Kofferraum (-räume)	boot (of car)	die	Unterkunft (-künfte)	accommodation

das	Verkehrsamt (-ämter)	*tourist information office*
	vermissen	*to miss (someone or something)*
	verpassen	*to miss (a bus, train, etc.)*
die	Verpflegung (-en)	*provision, food*

	verzollen	*to pay customs duty*
der	Wartesaal (-säle)	*waiting room*
die	Wende (no plural)	*the change from communism to free market in East Germany*

VOCABULARY SELF-TESTING

The vocabulary items here can be used to see how much you really know.

Fill in the English or the German, as appropriate (including genders where appropriate). The answers can be found in the vocabulary reference section (see pages 15–28).

General vocabulary

List 1

	German	English		German	English
	alt				*small*
	bitte				*to be able to*
		blue		müssen	
		thank you		nicht	
	gelb				*red*
	gern				*black*
		big, tall		sein	
		green		sollen	
	haben				*white*
	jung				*to want to*

List 2

	German	English		German	English
	endlich				*boring*
	es gibt				*tomorrow*
		awful	die	Nacht (Nächte)	
		to like		schnell	
	heute				*to be fun*
	interessant				*hour*
		year	der	Tag (-e)	
		now	die	Uhr (-en)	
	kurz				*to become*
	langsam		die		*week*

List 3 . . . .

am liebsten					bad
bald					at once, immediately
	then		später		
	exactly		viel		
hoffentlich					perhaps
letzt					quarter
	sometimes		wahrscheinlich		
	afterwards		wenig		
nie			der		working day
sauber					rather

Prepositions . . . .

an (+ Dat. or Acc.)					with
auf (+ Dat. or Acc.)			nach (+ Dat.)		
	from		seit (+ Dat.)		
	at				over
bis					around
durch (+ Acc.)			unter (+ Dat. or Acc.)		
	along				from
	against		vor (+ Dat. or Acc.)		
gegenüber (+ Dat.)					to
hinter (+ Dat. or Acc.)			zwischen (+ Dat. or Acc.)		
	in				

Question words . . . .

wann			wie		
warum					how much/many
	what				where
	which		woher		
wer			wohin		

Quantities . . . .

	both				gram
	a little		Kilo		
	a couple, a few		Liter		
einige					pound
etwas			viel		
	enough		wenig		

Months, days and seasons ....

Januar					Sunday
	February				Monday
	March		Dienstag		
April			Mittwoch		
	May				Thursday
Juni					Friday
	July		Samstag		
August		der	Frühling		
September		der			summer
	October	der	Herbst		
November		der	Winter		
Dezember					

A Everyday Activities

Part one

List 1 ....

	anfangen (fängt an, fing an, angefangen)				to learn
der	Bleistift (-e)				paper
		textbook	die	Pause (-n)	
		to end		richtig	
	falsch				to write
die	Hausaufgabe (-n)		die		school
		exercise book	der	Schüler (-)	
		class	die	Stunde (-n)	
der	Kuli (-s)				blackboard
der	Lehrer (-)			zuhören	

List 2 ....

	ankreuzen				art
	antworten			Mathematik (Mathe)	
		biology		Naturwissenschaften	
		chemistry	die		mark, grade
	Deutsch				physics
der	Direktor (-en)			Religion	
		geography		sitzenbleiben* (bleibt sitzen, blieb sitzen, sitzengeblieben)	
		ready, finished			
	fragen				PE, games
	Französisch				to repeat
		comprehensive school			

List 3 ....

die	Antwort (-en)	
	aufschlagen (schlägt auf, schlug auf, aufgeschlagen)	
		to pass (an exam)
		to attend (a school)
	buchstabieren	
	dauern	
		to fail
		foreign language
das	Gymnasium (Gymnasien)	
der	Hof (Höfe)	

		school trip
		laboratory
	lesen (liest, las, gelesen)	
die	Prüfung (-en)	
		to calculate
		to be correct
die	Turnhalle (-n)	
	vergessen (vergißt, vergaß, vergessen)	
		to understand
das	Wörterbuch (-bücher)	

Part two

List 1 ....

		beer
		to eat
das	Fenster (-)	
	fernsehen (sieht fern, sah fern, ferngesehen)	
die		*garage*
		garden
das	Gemüse (no plural)	
	gesund	
		house
		coffee

	krank	
die	Limonade (-n)	
das		*fruit*
		radio
die	Tasse (-n)	
	trinken (trinkt, trank, getrunken)	
		door
	wohnen	
		sausage
		room

List 2 ....

das	Badezimmer (-)	
das	Bein (-e)	
		bed
		film
die	Grippe (no plural)	
die	Gruppe (-n)	
		sore throat
		hot
	kochen	
		headache
die	Küche (-n)	

der	Kuchen (-)	
		bedroom
die	Sendung (-en)	
der	Stuhl (Stühle)	
		table
die	Torte (-n)	
	wehtun (tut weh, tat weh, wehgetan)	
das		*living room*
		toothache

List 3 . . . .

		to dry up		lecker	
		to order		putzen	
der	Couchtisch (-e)				*hot, spicy*
der	Durchfall (no plural)				*to taste*
		detached house	der	Sessel (-)	
		crockery	das	Sofa (-s)	
das	Hähnchen (-)		die		*menu*
das	Hauptgericht (-e)				*to wash up*
		waiter/waitress	die	Suppe (-n)	
		fridge		zahlen	

B Personal and Social Life

List 1 . . . .

	ausgehen* (geht aus, ging aus, ausgegangen)				*cinema*
			die	Mutter (Mütter)	
der	Bruder (Brüder)			sammeln	
		only child	die		*sister*
		family			*swimming pool*
die	Freizeit (no plural)			spielen	
der	Freund (-e)		das	Sportzentrum (-zentren)	
		born			*theatre*
		birthday		treiben (treibt, trieb, getrieben)	
		pet			
das	Hobby (-s)		der	Vater (Väter)	

List 2 . . . .

der	Besuch (-e)				*piano*
	einkaufen				*team*
		holidays	das	Mitglied (-er)	
		friendly		nett	
der	Fußball (-bälle)				*to cycle*
die	Großeltern (plural only)				*slim*
		dog		schön	
		instrument		tanzen	
der	Jugendklub (-s)				*to meet*
die	Katze (-n)		der	Wohnort (-e)	

List 3

		address
		outing, day trip
	einladen (lädt ein, lud ein, eingeladen)	
die	Einladung (-en)	
sich	freuen auf	
		ugly
		to play skittles
die	Kusine (-n)	
	launisch	
		uncle

		to ride
	Rollschuh laufen* (läuft, lief, gelaufen)	
		to ski
der		*son*
die	Staatsangehörigkeit (-en)	
die	Tante (-n)	
		daughter
		likes doing lots of things
	wandern	
der	Wellensittich (-e)	

C The World Around Us

List 1

das	Auto (-s)	
der	Bahnhof (-höfe)	
		cheap
		bus, coach
das	Dorf (Dörfer)	
	fahren* (fährt, fuhr, gefahren)	
		to go
		straight on
das	Geschäft (-e)	
das	Kaufhaus (-häuser)	

		countryside
		left
das	Rathaus (-häuser)	
	rechts	
		town
		road
der	Supermarkt (-märkte)	
	teuer	
		weather
der		*train*

List 2

die	Abfahrt (-en)	
die	Ankunft (Ankünfte)	
		baker's shop
		ticket
das	Geschenk (-e)	
das	Gleis (-e)	
		bus-stop
		butcher's shop
	neblig	
die	Post (no plural)	
		value for money

		to rain
	schneien	
das	Sonderangebot (-e)	
		sunny
die		*tram*
das	T-Shirt (-s)	
		underground
	umsteigen* (steigt um, stieg um, umgestiegen)	
	windig	

List 3 . . . .

die	Apotheke (-n)			die	Öffnungszeit (-en)	
	aussteigen* (steigt aus, stieg aus, ausgestiegen)					*to try*
		to flash				*journey*
		to thunder		die	Rückfahrkarte (-en)	
	einsteigen* (steigt ein, stieg ein, eingestiegen)				schicken	
	entwerten					*to take place*
		airport				*to look for*
		clothes		die	Tankstelle (-n)	
	kosten				trocken	
				die		*paper bag*
				der		*supplement*

D   The World of Work

List 1 . . . .

	anrufen (ruft an, rief an, angerufen)			die		*nurse (female)*
	arbeiten			der		*mechanic*
		unemployed			studieren	
der		*work place*		das	Telefon (-e)	
der	Beruf (-e)			die	Universität (-en)	
das	Büro (-s)				verdienen	
der		*computer*		der		*shop assistant*
die		*factory*		die		*advertising*

List 2 . . . .

das	Abitur (no plural)					*conversation*
die	Arbeit (-en)					*engineer*
		working hours		das	Internet (no plural)	
		to pass on a message		der	Lehrling (-e)	
	austragen (trägt aus, trug aus, ausgetragen)					*sixth form*
der	Beamte (-n)					*policeman*
		printer		die	Stelle (-n)	
		reduction			telefonieren	
die	Faxmaschine (-n)					*to sell*
das	Geld (-er)					*telephone area code*

List 3 . . . .

		employee		der		colleague
		answering machine		das	Schaufenster (-)	
die	Anzeige (-n)				sich bewerben	
der	Arbeitgeber (-)					to store
		job centre		die		telephone number
		work experience			verbinden (verbindet, verband, verbunden)	
der	Handel (no plural)					
der	Hilfsarbeiter (-)				wählen	
		business man/woman				

E The International World

List 1 . . . .

						to travel
das	Ausland (no plural)					restaurant
	bleiben* (bleibt, blieb, geblieben)				sich sonnen	
		camp-site		der	Strand (Strände)	
		double room				south
das	Einzelzimmer (-)					to stay overnight
das	Gasthaus (-häuser)			die	Wechselstube (-n)	
das		hotel		der	Westen (no plural)	
		youth hostel				caravan
der	Norden (no plural)					tent
der	Osten (no plural)					

List 2 . . . .

						Italy
	Afrika					Northern Ireland
	Amerika				Norwegen	
		Belgium			Österreich	
		Denmark				Portugal
	Europa					Scotland
	Frankreich				Schweden	
		Greece		die	Schweiz	
		Great Britain				Spain
	Holland					Wales
	Irland					

List 3 . . . .

die	Alpen	
der	Ausländer (-)	
der	Franken (-)	
der	Groschen (-)	
		half board
		Cologne
die	Mark (-)	
	München	
		Baltic Sea
		Pfennig (German currency)

der	Platz (Plätze)	
der	Rappen (-)	
die	Rechnung (-en)	
der	Schilling (-e)	
die	Tschechische Republik	
die	Türkei	
die	Vereinigten Staaten	
		full board
		to change (money)
	Wien	

Listening

✓ **REVISION TIPS**

The first thing to remember is: Do not panic. The Listening test is not as bad as people make out. Just bear in mind a few points:

► You are not allowed to use dictionaries in this part of the examination while the tape is playing. NEAB and WJEC do allow you to use a dictionary in the period before and after the playing of the tape.

► Always read the questions carefully. Think what you might expect to hear. For example, if the question is *Wann fährt der Zug?* you will expect to hear some sort of time, so you will need to listen out for a time.

► Concentrate. You must work in the rhythm of the tape at the speed set. So do not attempt to read ahead or spend time thinking about what you heard in an earlier section. Just think about the question in front of you.

► Use context clues and listen out for the tone in which they are said (e.g. surprise, anger, annoyance, joy), as well as background noise.

► If you decide to take notes, always make them in German, jotting down what you hear without trying to spell accurately. You will have time during the pauses to write it down properly or to translate it into English.

► Remember to place your answers correctly. If you write two answers on the same line, only the first one will be marked, even if the second one is correct and the first wrong.

► Do not offer more answers/details than required. If the question asks for one detail, then only give one, not two or three. Again, usually only the first thing you write will be marked.

Which exercises to do

Foundation Tier candidates should do exercises targeted at grades G, F, E **and** exercises targeted at grades D, C.

Higher Tier candidates should do exercises targeted at grades D, C **and** exercises targeted at grades B, A, A*.

? PRACTICE QUESTIONS

The listening passage for every practice question below is recorded on the audio tape which can be purchased with this book. If you do not have a copy of the audio tape ask a friend or parent to read the transcripts to you. The transcripts of the passages can also be referred to in case of difficulty. They can be found in Part III.

Exercises targeted at grades G, F, E

Question 1
You are at the station. At what time does the train to Cologne leave?

Kreuze die richtige Antwort an:

A	15.00	C	5.00
B	3.00	D	16.00

Question 2

You are in town. Where is the post office?

Kreuze die richtige Antwort an.

A   B
C   D

Question 3

Your pen-friend talks about his Saturday job. Where does he work?

Kreuze die richtige Antwort an.

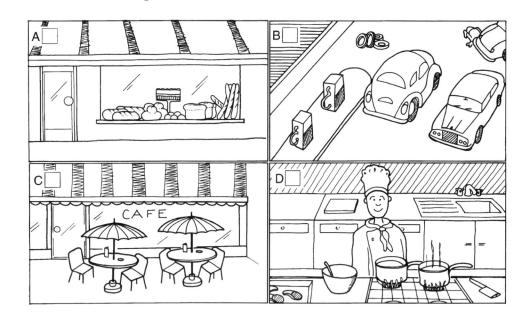

Exercises targeted at grades D, C

Question 4

Heidruns Familie. Fülle du das Formular auf deutsch aus:

Name: ....

Wohnort: ....

Geburtstag: ....

Haustiere: ....

Geschwister:

    Schwester (2 Punkte): ....

    Bruder (2 Punkte): ....

Question 5

Meine Stadt. Michael erzählt von seiner Stadt Michelstadt.
Wenn die Aussage falsch ist, schreibe ein F ins Kästchen.
Wenn die Aussage richtig ist, schreibe ein R ins Kästchen.

(a) Michelstadt ist eine kleine Stadt. □
(b) Es liegt südlich von Frankfurt. □
(c) Michelstadt hat ein altes Schloß. □
(d) Das Wasser im Schwimmbad ist warm. □
(e) Michelstadt hat kein Kino. □
(f) Man kann gut im Supermarkt einkaufen. □
(g) Michael wohnt nicht gern in Michelstadt. □

Exercises targeted at grades B, A, A*

Question 6

You listen to three teenagers who are talking about their plans for the weekend. Listen and answer in English:

(a) When did Petra get her new car?
(b) How long do the three friends want to go away for?
(c) Where does Beate want to go?
(d) What can you do at the Titisee?
(e) How can Beate get a surfboard?

Question 7

Monika und ihr Onkel sprechen über das Theater.

(a) Wann war Onkel Heinz im Theater?
(b) Was denkt Monika von klassischen Stücken? Warum?
(c) Warum findet Onkel Heinz die klassischen Stücke gut?
(d) Wohin geht Monika anstatt ins Theater?
(e) Stimmt Onkel Heinz Monika zu? Warum oder warum nicht?
(f) Wie bekommt Monika das Geld für Konzertkarten?

Question 8

Du hörst im Radio einen Bericht über einen Unfall vor dem Bahnhof.

(a) Was war die alte Dame früher von Beruf?
(b) Was für ein Tier hat sie mitgenommen?
(c) Wo fand der Unfall statt?
(d) Was machte die Dame vor Schreck?
(e) Wie hoch war der Schaden?

3 *Speaking*

Most candidates find Speaking the most stressful part of the GCSE but when you look at it more coolly, you will see that it is a part of the examination where you are at least partly in control. Your responses can steer the direction of the conversation and some examination boards even ask you to prepare a short presentation.

Communication is the most important aspect of the examination so you do not need to worry too much about the grammatical detail and accuracy as long as you get the message across. A good deal of the examination depends on your confidence. As long as you speak confidently and fluently you can bluff your way through and create a positive impression. Avoid long pauses, hesitation and answers with one word, or a simple *Ja* or *Nein*. The more you say the better.

A sound knowledge of vocabulary and phrases will certainly improve your performance in the Higher Tier, as well as an attempt at some more complex sentences, such as subordinate clauses with *als*, *weil* or *wenn*, or relative clauses (remembering in each case the word order changes). Also, use of adjectives and adverbs (of manner and time) will make your narrative far more interesting and will help to show off your German. You should make sure that you can refer confidently to past, present and future events.

Which exercises to do

If you are a Foundation Tier candidate, you should normally do:

► one role-play targeted at grade G, F, E
► one role-play targeted at grade D, C
► presentation
► conversation.

If you are a Higher Tier candidate, you should normally do:

► one role-play targeted at grade D, C
► one role-play targeted at grade B, A, A*
► presentation
► conversation.

Role-plays

The role-plays will usually be about the following situations:

► tourist office
► shopping and services
► café and restaurant
► booking accommodation
► staying with a family
► arranging to go out
► making travel arrangements
► entertainment
► dealing with problems (doctor, dentist, lost property)
► applying for a job
► telephone conversations (at home or in the workplace)

Presentation

Some examination boards expect you to prepare a short **presentation** (about a minute) on a topic of your choice, which will be followed by a discussion of the subject you have talked about. This is actually not as daunting as it may sound at first. In fact, it is a good chance for you to show how much German you know.

Remember that during the presentation you are in control. You can rehearse what you are going to say, although it is not advisable to learn something by heart. You should speak freely, without undue hesitation or repetition. As you can choose what you are going to say you can select an area that you are particularly familiar with.

When working out your presentation, don't forget that the teacher/examiner will ask you questions about what you have said. So take care that you revise the necessary vocabulary and try and imagine what sort of questions may be asked.

You could practise your presentation with a friend who will ask you questions that you might not have thought of, or ask your parents for help. Even if they don't speak German they may be able to suggest questions which they would put to you.

Record your presentation on tape to see how you sound. A lot of it has to do with confidence. Try and sound fluent, even if there are some errors in your German. The overall impression does help to improve your marks.

Look at the two examples of presentation topics on pages 44–5, which have some hints about how to go about preparing them.

Conversation

All boards include a conversation in their Speaking test. Usually you have to cover about three topics, which will include the following:

- ► self, home and family
- ► school
- ► holidays, visits abroad
- ► free time, entertainment, sport, hobbies, media
- ► daily routine
- ► home town, village or area

- ► friends
- ► shopping
- ► future plans
- ► work, careers, employment
- ► pocket money
- ► food and drink
- ► special occasions.

You should be able to say a little about each of the topics, even if it is just a few sentences. Answers with simply *Ja* or *Nein* are to be avoided.

Example
Magst du Fußball?
Ja or *Nein* would answer the question, but would not gain many marks. Instead try and expand your reply.
Ja, ich spiele für die Schulmannschaft. Wir spielen jeden Samstag.
or
Nein, ich hasse Fußball. Ich spiele lieber Tennis.

Practise answering the questions given on pages 45–6 which could come up in a typical conversation. The questions are in the *du* form. Your teacher/examiner may use the *Sie* form. Make sure you know what to expect beforehand.

PRACTICE QUESTIONS

Role-plays targeted at grades G, F, E

Role-play 1

Du bist in der Jugendherberge
You are booking in at a youth hostel and speak to the warden. The teacher will play the part of the warden and start the conversation.

HINT
You will need to add the necessary polite phrases and greetings and respond to any greetings given.

Role-play 2

Du bist auf dem Markt und kaufst ein
You are shopping for a picnic in Germany. Your teacher will play the part of the stall holder.

Role-plays targeted at grades D, C

Role-play 3

Im Bahnhof

You go to the station and ask for travel details about a train journey. Your teacher will play the part of the clerk and start the conversation.

- Sie möchten nach Genf fahren.
- Sagen Sie, wann Sie fahren möchten.
- Fragen Sie, wann der Zug ankommt.
- Fragen Sie, ob Sie umsteigen müssen.
- Sagen Sie, wie viele Fahrkarten Sie kaufen möchten.

Role-play 4

Am Telefon

You are phoning a camp-site in Germany in order to find out about a holiday job. You are speaking to the camp-site owner.

- Beantworte die Frage.
- Erzähle, wie lange du arbeiten kannst.
- Beantworte die Frage.
- Sage, was deine Hobbys sind.
- Erzähle, daß du in England in einem Geschäft arbeitest (wann, was für ein Geschäft, welche Arbeit).

Another type of role-play, targeted at grades D, C, has no fixed prompts but consists of a visual stimulus and a few question words to guide your thoughts when thinking about this situation during the preparation time. The dialogue with your teacher will be far more open-ended than with the previous role-plays. This means that you can steer the direction of the conversation and put in your own ideas.

Role-play 5

Fundbüro

am Bahnhof Friedrichstraße

täglich geöffnet von 9.00–19.00 Uhr

Was verloren?
Beschreibung?
Wo?
Wann?

Role-play 6

Einladung

*zur Geburtstagsparty
von Petra*

Freitag, den 12. Mai ab 20.00 Uhr, Hauptstr. 32

Welches Geschenk?
Wie hinkommen?
Welche Kleidung?

Du sprichst mit einem deutschen Freund/einer deutschen Freundin über diese
Einladung.

Role-plays targeted at grades B, A, A*

Some examination boards present you with prompts in pictures and words
which you are to use to give an account of events in the past tense.

Role-play 7

Below are some notes about a school trip to Germany. Tell the examiner
about what happened.

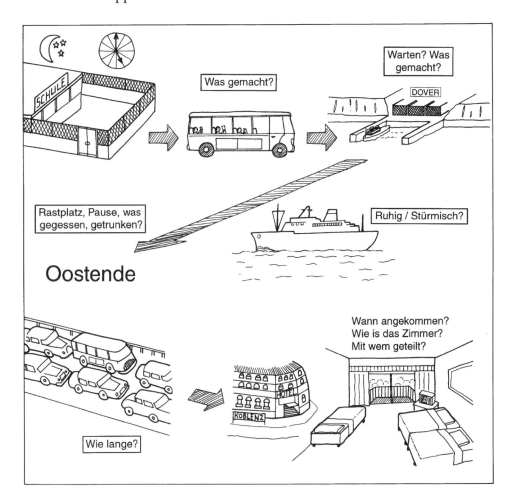

Presentations

Presentation 1

Mein Urlaub
1 Collect some photographs, tickets, maps, wrappers or other souvenirs to help
  illustrate what you want to say.
2 You can write down five brief headings or notes to help you remember what
  to say.

3 Remember, the point of the presentation is not to come up with a lot of factual information about the places you visited but rather to tell about your experiences. Try and think of some funny anecdotes, for example, and include what you think about the holiday, how you liked it and why.

The examiner will ask you some questions about your presentation, for example:

▶ Mit wem bist du gefahren?
▶ Wie war das Wetter?
▶ Wo hast du übernachtet?
▶ Wie lange warst du dort?
▶ Was hast du dort gemacht?
▶ Hast du Ausflüge gemacht? Wenn ja, welche?
▶ Möchtest du noch einmal dorthin fahren? Warum oder warum nicht?
▶ Was hat dir an diesem Urlaub am besten gefallen? Warum?
▶ Wohin fährst du im nächsten Jahr?

Presentation 2

Mein Job
1 Collect some material to help illustrate what you do, for example advertisements or promotional material for the place where you work, or photographs of you actually doing the job.
2 Write down five headings or brief notes to help you remember what to say.

The examiner will ask you some questions on your presentation, for example:

▶ Wo arbeitest du?
▶ Wie viele Stunden arbeitest du pro Woche?
▶ Wie viele Stunden arbeitest du pro Tag?
▶ Wieviel verdienst du dabei?
▶ Was machst du genau?
▶ Gefällt dir die Arbeit? Warum?

> **Examiner's note** When choosing your subject, don't be too ambitious. Pick a subject from everyday life rather than a topical issue such as pollution, crime, etc. Apart from holidays or your job, you could speak about your pet, your hobby, a brother or sister or other member of your family, your town or area where you live, your school, etc.

Conversation questions

Self, home and family
Wie heißt du?
Wie alt bist du?
Hast du Geschwister?
Was ist dein Vater/deine Mutter von
 Beruf?
Hast du ein Haustier?
Hast du dein eigenes Zimmer zu
 Hause?
Beschreibe deine Familie.

School
Welche Fächer hast du in der Schule?
Was ist dein Lieblingsfach?

Seit wann lernst du Deutsch?
Wann beginnt die Schule am Morgen?
Beschreibe deine Schule.

Holidays, visits abroad
Wo warst du letztes Jahr im Urlaub?
Wie war das Wetter?
Was hast du in den Ferien gemacht?
Welche Pläne hast du für die nächsten
 Ferien?
Warst du schon einmal in
 Deutschland?
Erzähle ein bißchen von deinen letzten
 Ferien.

Free time, entertainment, sport, hobbies, media

Was machst du in deiner Freizeit?

Was hast du letztes Wochenende gemacht?

Was hast du gestern abend im Fernsehen gesehen?

Treibst du Sport? Wo? Wann?

Was machst du gewöhnlich am Wochenende?

Was willst du nächstes Wochenende machen?

Daily routine

Wann stehst du normalerweise auf?

Was ißt du zum Frühstück?

Wie kommst du zur Schule?

Wann verläßt du dein Haus?

Um wieviel Uhr ißt du dein Abendessen?

Wann gehst du gewöhnlich ins Bett?

Beschreibe einen typischen Tag.

Home town, village or area

Wo wohnst du?

Wo liegt das genau?

Ist das eine große Stadt oder ein kleines Dorf?

Was gibt es in deiner Gegend zu sehen?

Wo liegt Brentwood genau?

Was kann man in Brentwood machen?

Was sind die wichtigsten Industrien dort?

Welche Sehenswürdigkeiten gibt es in Brentwood?

Welche Ausflüge kann man dort machen?

Friends

Wie heißt dein bester Freund/deine beste Freundin?

Was machst du mit deinem Freund/ deiner Freundin?

Wie ist dein Freund/deine Freundin?

Beschreibe deinen Freund/deine Freundin.

Shopping

Wo kaufst du deine Kleidung ein?

Was ist dein Lieblingsgeschäft?

Wer bezahlt deine Kleidung? Du oder deine Eltern?

Interessierst du dich für Mode?

Future plans

Was hast du am nächsten Wochenende vor?

Was sind deine Pläne für den Sommer?

Was willst du nächstes Jahr machen?

Was wirst du nach deinen Prüfungen machen?

Wo möchtest du wohnen, wenn du 25 Jahre alt bist? Warum?

Möchtest du später einmal Kinder haben? Warum (nicht) wieviele?

Welchen Beruf möchtest du machen?

Was sind deine Zukunftspläne?

Work, careers, employment

Hast du einen Nebenjob?

Wie viele Stunden arbeitest du pro Woche?

Wieviel verdienst du?

An welchen Tagen arbeitest du?

Wie gefällt dir deine Arbeit? Warum?

Was sind die Vorteile eines Nebenjobs? Was die Nachteile?

Was sind deine Eltern von Beruf?

Pocket money

Wieviel Taschengeld bekommst du?

Was kaufst du mit deinem Taschengeld?

Wofür sparst du?

Food and drink

Was ißt du gern?

Was ißt du nicht gern?

Was trinkst du lieber, Tee oder Kaffee?

Was hast du gestern abend gegessen?

Was ist dein Lieblingsessen?

Was kochst du gern?

Gehst du gern ins Restaurant essen?

Special occasions

Wann hast du Geburtstag?

Wie feierst du deinen Geburtstag?

Welche Geschenke hast du bekommen?

Was machst du an Weihnachten/Eid/ Diwali/Ramadan/Passa?

Wie feierst du Sylvester?

Erzähle etwas von einer Party bei dir zu Hause oder bei einem Freund/ einer Freundin.

Reading

The reading paper consists of a variety of texts. In the Foundation Tier you will find signs, short notices, lists and short magazine articles or letters. The Higher Tier paper consists of larger articles and letters. The questions in both papers will have to be answered mostly in German, although some responses in English will also be required.

You will need to know the phrases used in the rubrics and always make sure that you fully understand what the question is about, and how you are to answer it.

In the examination you will be allowed to use dictionaries, but this does not mean that vocabulary learning becomes unnecessary. It would be far too time-consuming if you had to look up too many words. Still, you will need to know how to use your dictionary.

Which exercises to do

Foundation Tier candidates should do exercises targeted at grades G, F, E **and** exercises targeted at grades D, C.

Higher Tier candidates should do exercises targeted at grades D, C and exercises targeted at grades B, A, A*.

PRACTICE QUESTIONS

Exercises targeted at grades G, F, E

Question 1

> **GEFUNDEN**
> kleine, schwarzweiße Katze
> bitte bei Meyer anrufen: 734259

Was hat man gefunden? Kreuze A, B oder C an.

A ☐   B ☐   C ☐

Question 2

> ### Heute im Sonderangebot bei BALDO
>
> | | |
> |---:|:---|
> | Äpfel | –,75 pro Kilo |
> | Kartoffeln | –,99 pro Kilo |
> | Blumenkohl | 1,10 das Stück |
> | Limonade | –,56 pro Flasche |
> | Kotelett (Schwein) | 2,10 pro Kilo |

Was kann man bei BALDO im Sonderangebot kaufen? Schreibe 'Ja' oder 'Nein':

Beispiel

Question 3

Wo findet man diese Schilder? Ordne die Schilder den Plätzen zu.

A   EINBAHNSTRASSE
B   GLEIS 4
C   SUPER BLEIFREI
D   EMPFANG
E   NÄCHSTE VORSTELLUNG: 17.30 UHR

im Kino   ☐
in der Stadt   ☐
im Bahnhof   ☐
an der Tankstelle   ☐
im Hotel   ☐

Exercises targeted at grades D, C

Question 4

> ## Wo machen sie Ferien?
>
> **Herr Meyer**
> Ich fahre mit meiner Frau und Tochter nach Sylt. Wir werden zwei Wochen in einem guten Hotel bleiben. Meine Tochter liegt gern in der Sonne und schwimmt. Auf Sylt gibt es einen wunderbaren Strand, wo man in der Nordsee baden kann. Wir fahren mit dem Auto. Das ist schnell und bequem.
>
> **Jürgen**
> Ich fliege im August nach Glasgow. Ich besuche meinen schottischen Brieffreund. Ich werde zum ersten Mal alleine Urlaub machen. Ich bleibe drei Wochen und hoffe, mein Englisch zu verbessern.
>
> **Heike**
> Ich mache mit meinen Eltern Urlaub. Wir fahren mit unserem Wohnwagen nach Österreich. Das macht viel Spaß. Wir wandern in den Bergen, besichtigen alte Schlösser und gehen ins Museum. Mein Hund Bello kommt auch mit.

Wer ist das? Trage die Namen ein.

Beispiel
Heike nimmt ihr Haustier mit.

(a) .... reist mit dem Flugzeug.
(b) .... übernachtet im Hotel.
(c) .... übernachtet auf dem Campingplatz.
(d) .... fährt ohne Eltern.
(e) .... fährt ans Meer.

Exercises targeted at grades B, A, A*

Question 5
Lies den Brief und beantworte die Fragen auf englisch.

Lieber Jonathan,

der Sticker von Manchester United ist ganz super. Vielen Dank. Manchester ist meine Lieblingsmannschaft, auch wenn ich wohl nie zu einem Spiel kommen kann. Vor einer Woche hatte ich Glück und sah 'Bayern München'. Leider haben sie überraschend gegen Freiburg verloren. So ein Pech.

Na, ansonsten gibt es nicht viel Neues. Ich habe noch immer viele Hausaufgaben. Zur Zeit schreiben wir viele Klassenarbeiten, manchmal drei in einer Woche. Gut, daß es bald Ferien gibt. Noch vier Wochen Schule. Hoffentlich werde ich dieses Jahr versetzt. In Mathe stehe ich auf 'fünf' und in Englisch sieht es im Moment auch nicht viel besser aus. Alles hängt von den nächsten Arbeiten ab. Hoffentlich klappt es noch, es wäre zu doof, die neunte Klasse noch mal machen zu müssen.

In den Sommerferien werde ich einen Monat bei der Firma 'Bosch' arbeiten. Mein Vater hat mir eine Stelle besorgt, so bekomme ich etwas Erfahrung im Büro und verdiene dabei nicht schlecht. Ob ich aber wirklich Bürokaufmann werden soll, kann ich mir noch nicht denken.

Ulrich, mein großer Bruder, macht gerade seinen Wehrdienst. Er ist schon drei Monate bei einer Panzertruppe. Am Wochenende kommt er in seiner Uniform nach Hause. Er findet, die Mädchen mögen einen Mann in Uniform. Meine Freundin aber sagt, er sei doof. Ich werde später Zivildienst machen. Ganz bestimmt.

So, ich muß jetzt noch etwas für Mathe lernen. Also tschüß für heute,

Dein Karsten

(a) What had Jonathan sent to Karsten?

(b) What does Karsten say about his school work? Give two details.

(c) Why is he worried about school?

(d) What will he do in the summer holidays?

(e) What does Karsten think about military service?

Question 6

Lies den Artikel und fülle dann die Tabelle aus.

SYDNEY VERSPRICHT SCHON JETZT 'WIR WERDEN BESSER SEIN'

Noch bevor das olympische Feuer in Atlanta ausgegangen war, versprach Sydney im Jahr 2000 die Amerikaner zu übertreffen. 'Wir werden besser sein als Atlanta,' erklärte John Coates, der Präsident des Nationalen Olympischen Komitees für Australien am Montag im australischen Fernsehen. Wenn vom 15. September bis zum 1. Oktober 2000 die Olympischen Spiele zum zweiten Mal neben 1956 in Melbourne auf dem fünften Kontinent stattfinden, sollen sie nicht von Pannen geplagt werden.

Die Organisatoren von Sydney, die mit über 100 Beobachtern in Atlanta vertreten waren, haben dort studiert, wie man es machen sollte – und wie nicht. Der Vorsitzende des Organisationskomitees von Sydney:

'Wir haben ungeheuer viel gelernt.'

Nach den Problemen Atlantas sind von den australischen Organisatoren mehrere Bereiche herausgestellt worden, um die man sich besonders kümmern will. Das gesamte Sicherheitskonzept für die Spiele soll nach der Bombe vom Centennial Park überarbeitet werden.

Olympiaminister Michael Knight aus Neusüdwales, der auch Verkehrsminister ist, erklärte in Atlanta, daß der Anschluß des Olympiagelände an das S-Bahnsystem Sydneys vermeiden wird, daß es in Australiens größter Stadt im Jahr 2000 zum Chaos kommt. 'Wir werden den Individualverkehr komplett verbannen', sagte er. Die olympische Familie soll

hauptsächlich auf dem Wasserweg von der Innenstadt zum 12 km entfernten Olympiadorf gebracht werden.

Unsicher ist noch, ob die Hotelkapazität der 3,7 Millionen Stadt ausreicht, um die Besucher aus aller Welt zu beherbergen. Schwimmende Hotels wie in Barcelona vor vier Jahren könnten die Lösung sein. Außerdem werden in Sydney bis zu den Spielen noch mindestens fünf bis sechs weitere Hotels gebaut.

Insgesamt aber ist Sydney wesentlich weiter als Atlanta vier Jahre vor den Spielen. Sydney ist in seiner Vorbereitung weiter als es jede andere Olympiastadt war.

Jetzt fülle die Tabelle aus:

Arbeitsbereich	*Problem*	*geplante Lösung*
Sicherheitskonzept		
Verkehr		
Hotels		

After these examples try the practice paper on pages 88–94. Remember: Do not expect to understand all the texts immediately. Do not panic. Most of the time you will be able to get the overall picture, so ask yourself: What is the main point of the text? What clues, such as titles, introductions, illustrations, give some idea of the likely content?

5 Writing

This part of the examination will, again, test your active knowledge of German. In the Foundation Tier the emphasis is on communication – getting your message across. Here, accurate spelling is not (totally) necessary as long as what you have written is understandable. You will be required to write lists, notes, postcards and short letters. When attempting the Writing paper you need to make sure that you understand the question set. Irrelevant, prelearned material will not be rewarded. So it is of no use learning one or two letters by heart and then just writing them down irrespective of the task. Of course, it makes sense to learn introductory and closing phrases for a letter, but do not overdo it.

In the lists, make sure that all you write is really German. Only use English words which are currently used and widely known in Germany (e.g. *Shorts, T-Shirt, Jeans, Computer, Radio*) and remember to use capital letters for all of them. Do not try and make up words. Usually they do not exist.

The Higher Tier Writing examination tests mainly the accuracy of your German. You need to know the basic rules of grammar, how verbs are formed in all tenses and persons and how to make adjectives agree. The other area to make sure of is vocabulary. When learning new words try and remember the gender, spelling and plural.

Use this checklist for your written work:

1 Check genders
   – by looking up individual words.
2 Check cases
   – is there an accusative after each verb (if not, do you know why)?
   – do you have the correct case after prepositions?
3 Check adjectives
   – remember adjectives not followed by a noun have no endings
   – if in front of a noun the adjective must agree in gender, case and number.
4 Check verbs
   – is the tense right (regular or irregular verb forms)?
   – do you need *haben* or *sein*?
5 Check word order
   – is the verb in the right place?
   – time before manner before place.
6 Check spelling
   – capital letters on nouns
   – *i* and *e* the right way round?
   – remember to put umlauts in the correct place
   – remember *sch* – always with a *c*.

At the Higher Tier you will be required to write a story, report or other narrative. Again, read the task carefully and make sure that your answer is relevant. However, it makes sense to prepare some useful sentences which can be inserted into a variety of answers:

▶ a description of the weather
▶ a description of people

► opinions about how good something was or was not and why
► a number of things you did on holiday or during a day trip
► a picnic, a meal at home or in a restaurant.

Phrases for letters

Greetings

Liebe (+ girl's name, or names of two persons)	*Dear...*
Lieber (+ boy's name)	*Dear...*
Sehr geehrte Damen und Herren	*Dear Sir/Madam*
Sehr geehrter Herr Schmitt	*Dear Mr Schmitt*
Sehr geehrte Frau Meyer	*Dear Mrs Meyer*
Liebe Herbergsmutter	*Dear (female) youth hostel warden*
Lieber Herbergsvater	*Dear (male) youth hostel warden*
Liebe Herbergseltern	*Dear (male and female) youth hostel wardens*

Remember to put a comma after the greeting. The first word of your letter begins with a small letter, except for *Du, Sie* or nouns.

Introductions

Wie geht's?	*How are you?*
Vielen Dank für Deinen Brief.	*Many thanks for your letter.*
Entschuldige bitte, daß ich Dir so lange nicht geschrieben habe.	*I'm sorry that I haven't written to you for so long.*
Mit diesem Brief möchte ich zwei Zimmer reservieren.	*I would like to reserve two rooms.*
Mit diesem Brief bitte ich um Information über...	*I am writing to ask for information about...*

Drawing to a close

Ich muß jetzt Schluß machen, weil ich noch Hausaufgaben habe.	*I must close now because I have still got some homework to do.*
Ich muß jetzt Schluß machen, weil ich in 20 Minuten Fußballtraining habe.	*I must close now because I have football training in 20 minutes' time.*
Schreib bitte bald.	*Please write soon.*
Ich hoffe, bald von Dir zu hören.	*I hope to hear from you soon.*
Ich danke Ihnen für eine baldige Antwort.	*Thank you for a quick reply.*
Ich danke Ihnen im voraus für Ihre Mühe.	*Thank you in advance for your help.*
Ich lege einen adressierten Umschlag und einen internationalen Antwortschein bei.	*I enclose a self-addressed envelope and an international reply coupon.*

Signing off

Bis bald	*See you soon*
Viele Grüße	*Best wishes*
Tschüß!	*Bye!*
Dein (+ boy's name)	*Yours*
Deinc (+ girl's name)	*Yours*
Mit freundlichen Grüßen	*Yours sincerely*

Phrases for stories and reports

Time

später als gewöhnlich	*later than usual*
so bald wie möglich	*as soon as possible*
etwas später	*a little later*
in diesem Augenblick	*in this moment*
am Morgen/am Nachmittag/am Abend	*in the morning/in the afternoon/in the evening*
am nächsten Tag	*on the next day*
letzten Freitag	*last Friday*
letzte Woche	*last week*
während der Sommerferien	*during the summer holidays*
am Ende des Tages	*at the end of the day*
eine halbe Stunde/drei Tage später	*half an hour/three days later*
zwei Stunden lang	*for two hours*
sofort nach dem Mittagessen	*straight after lunch*
während er im Krankenhaus war	*while he was in hospital*

How

schnell	*quickly*
so schnell wie möglich	*as quickly as possible*
langsam	*slow*
ohne zu zögern	*without hesitation*
ohne etwas zu sagen	*without saying a word*
leider	*unfortunately*
glücklicherweise	*fortunately*
ohne einen Augenblick zu verlieren	*without losing a moment*
zum ersten/zweiten/dritten Mal	*for the first/second/third time*
zufällig	*by chance*
plötzlich	*suddenly*

Which exercises to do

Foundation Tier candidates should do exercises targeted at grades G, F, E **and** exercises targeted at grades D, C.

Higher Tier candidates should do exercises targeted at grades D, C **and** exercises targeted at grades B, A, A*.

PRACTICE QUESTIONS

Exercises targeted at grades G, F, E

Question 1
Du kaufst Essen und Trinken mit deinem deutschen Freund. Schreibe eine Liste.

Question 2
Deine deutsche Brieffreundin kommt mit dir zum Camping. Schreibe eine Liste, was sie packen soll.

Question 3
Du suchst einen Brieffreund. Fülle das Formular aus.

Name: ....

Vorname: ....

Alter: ....

Wohnort: ....

Geschwister: ....

Hobbys: a) ....

          b) ....

Haustiere: ....

Lieblingsfach: ....

Lieblingsessen: ....

Question 4

Tagebuch. Schreibe auf, was du in dieser Woche machst.

Tag	Wo	Was
Sonntag	Kino	einen Film sehen
Montag		
Dienstag		
Mittwoch		
Donnerstag		
Freitag		

Question 5

Schreibe eine Postkarte an deinen deutschen Brieffreund.

Question 6
Du bist allein im Haus deines Brieffreundes. Das Telefon klingelt. Du antwortest und schreibst eine Notiz:

▶ Wer hat angerufen?
▶ Treffen in der Stadtmitte?
▶ Wann?
▶ Was machen?
▶ Was mitbringen?

Question 7
Du schreibst eine Notiz für deinen Brieffreund, weil du ohne ihn ausgehst.

▶ Wohin gehen?
▶ Was machen?
▶ Was kann dein Brieffreund zu Hause essen?
▶ Was kann dein Brieffreund im Haus machen?
▶ Wann zurück?

Exercises targeted at grades D, C

Question 8
Schreibe einen Brief an deinen Brieffreund über dein neues Haus.

▶ Wann umgezogen?
▶ Wie ist das neue Haus und der Garten?
▶ Nachbarn?
▶ Wie ist die Stadt/das Dorf?
▶ Gefällt dir das neue Haus? Warum oder warum nicht?

Question 9
Schreibe einen Brief an deinen Brieffreund/deine Brieffreundin.

▶ Einladung für die Ferien
▶ Wann und wie kommen?
▶ Wo schlafen?
▶ Was machen in England?
▶ Was mitbringen?

Question 10
Schreibe einen Brief an eine Jugendherberge in der Schweiz.

▶ Wann kommen?
▶ Wie viele Personen?
▶ Wie viele Nächte?
▶ Mahlzeiten?
▶ Fahrräder leihen?

Question 11
Schreibe an ein Fundbüro in Deutschland.

▶ Was verloren?
▶ Wo?
▶ Wann?
▶ Beschreibung des Objekts
▶ Zurückschicken? Wohin?

Question 12

Du bist in der Schweiz zum Camping mit Freunden. In einer Nacht gibt es ein starkes Gewitter mit großem Schaden. Am nächsten Tag bittet die Lokalzeitung dich, einen Artikel zu schreiben.

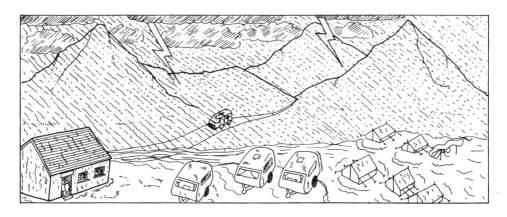

Question 13

Du warst in Deutschland zu einem Austausch mit deiner Schule. Schreibe einen Artikel für eine deutsche Schulzeitung über den besten Tag des Austausches.

Solutions
Listening

Exercises targeted at grades G, F, E

Question 1

The correct answer is A. Don't be confused by the 'three' you hear as it is the platform number. In C the word is *fünf* which must not be mixed up with the word for fifteen – *fünfzehn*, the correct answer here.

Transcript: *Der nächste Zug nach Köln fährt um 15.00 Uhr von Gleis 3.*

Question 2

The correct answer is B. The message you hear translates as 'Take the first street on the left'.

Transcript: *Die Post? Nehmen Sie die erste Straße links.*

Question 3

The correct answer is C. The words *Café* and *Kellner* (waiter) give it away.

Transcript: *Ich arbeite jeden Samstag in einem Café. Ich bin dort Kellner.*

Exercises targeted at grades C, D

Question 4
Name: *Heidrun*
Wohnort: *Berlin*
Geburtstag: *16. Juni*
Haustiere: *1 Hund, 2 Meerschweinchen*
Geschwister:
    Schwester (2 Punkte): *Alter 21/groß/schlank/hübsch (any two of these)*
    Bruder (2 Punkte): *Alter 14/dick/nett/spielt Tennis (any two of these)*

> **Examiner's note** Make sure you put the correct information for each category. Don't worry too much about the spellings. They will be accepted as long as the words are recognisable. Don't forget that you need to mention two points about the sister and brother.

Transcript: *Hallo. Ich heiße Heidrun. Ich wohne in Berlin. Mein Geburtstag ist der 16. Juni. Ich habe drei Haustiere: einen Hund und zwei Meerschweinchen. Ach ja, ich habe auch eine Schwester und einen Bruder. Meine Schwester ist 21. Sie ist sehr groß, schlank und hübsch. Mein Bruder ist 14. Er ist dick, aber sehr nett. Er spielt gern Tennis.*

Question 5

(a) R
(b) F
(c) F
(d) F

(e) R
(f) R
(g) F

Examiner's note You will need to read the statements (a)–(g) very carefully before listening. Make sure you understand all of them, paying attention to small words such as *nicht, kein*, etc. You need to compare the sentences with what is said on the tape.

Transcript: *Michelstadt ist eine kleine Stadt in der Nähe von Frankfurt. In der Stadtmitte steht das bekannte Rathaus. Es ist sehr alt, mehr als fünfhundert Jahre. Michelstadt hat auch ein Theater und ein Stadion. Das Schwimmbad ist nicht so gut. Das Wasser ist immer kalt. Leider hat Michelstadt kein Kino. Wenn man einen Film sehen will, muß man in die nächste Stadt fahren. Am Stadtrand gibt es ein kleines Einkaufszentrum. Man kann gut im Supermarkt einkaufen, Lebensmittel, aber auch Kleidung und vieles mehr. Ich wohne gern in Michelstadt.*

Exercises targeted at grades B, A, A*

Question 6
(a) For her birthday.
(b) For the weekend/from Friday until Sunday.
(c) To the North Sea coast.
(d) You can do watersports.
(e) She will be able to hire one.

Transcript:

Beate	*Hallo Petra. Mensch, du hast ja Glück. Ein neues Auto zum Geburtstag.*
Petra	*Ja, einen klasse Wagen. Einen GTI.*
Jörg	*Das ist wirklich toll. Sag mal, wollen wir einen Ausflug machen?*
Petra	*Prima Idee. Fahren wir für das Wochenende weg? Am besten von Freitag, gleich nach der Schule, bis Sonntagabend.*
Beate	*Wohin wollen wir? Ich würde gerne ans Meer fahren. An die Nordseeküste.*
Petra	*Was? Du spinnst wohl, Beate. Weißt du denn, wie weit das ist? Mindestens sechs Stunden. Nein, ich würde sagen, wir fahren in den Schwarzwald.*
Jörg	*Das ist nicht so weit. Da hast du recht, Petra. Am Titisee kann Beate auch Wassersport treiben.*
Beate	*Das klingt nicht schlecht. Aber kann ich mein Surfbrett mitnehmen?*
Petra	*Was denkst du denn? Ein GTI ist kein Möbelwagen, aber du kannst sicher ein Surfbrett leihen.*

Question 7

(a) Gestern.
(b) Sie findet klassische Stücke nicht gut, weil die Sprache altmodisch ist.
(c) Sie sind populär/Die Themen sind immer noch aktuell.
(d) Sie geht ins Konzert.
(e) Nein, er stimmt nicht zu. Er findet Konzerte zu teuer.
(f) Sie spart für mehrere Monate.

Transcript:

Onkel H	*Ich war gestern im Theater. Die Vorstellung war sehr gut. Man hat ein Stück von Goethe gespielt.*
Monika	*Ach, also was Klassisches. Ich finde diese Stücke nicht so gut. Die Sprache ist immer altmodisch.*
Onkel H	*Das finde ich nicht. Goethe ist noch immer populär. Die Themen seiner Stücke sind immer noch aktuell.*
Monika	*Also ich gehe lieber in ein Konzert. Und viele der modernen Lieder haben auch sehr politische Texte über Themen unserer Zeit: Umwelt, Politik, usw.*

Onkel H   *Da magst du recht haben. Ich kann das nicht so gut beurteilen. Ich war noch nie in einem modernen Konzert. Die Eintrittspreise sind meist so hoch. So 50,-- DM für eine Karte. Das ist mir zu viel.*

Monika   *Ja, das stimmt. Die Preise sind hoch. Aber Karten für das Theater sind auch nicht viel billiger. Ich spare gern für mehrere Monate, um in ein gutes Konzert gehen zu können.*

Question 8

(a) Sie war Lehrerin.

(b) Einen Hund.

(c) In der Nähe des Bahnhofs.

(d) Sie fuhr gegen geparkte Autos und einen Baum.

(e) 22.000,-- DM.

> **Examiner's note** Most of the answers are straightforward. For question (c), the clue on the tape is *Kurz vor dem Bahnhof* – shortly before the station, so the accident happened near the station – *In der Nähe des Bahnhofs.* Do not worry if your answers are not in complete sentences. As long as the message comes across, you will be awarded the marks.

> **Transcript:** *Eine 78-jährige pensionierette Lehrerin zahlte teuer für ihre Tierliebe. Auf dem Weg zu einer Freundin sah sie einen Hund, der alleine die Straße entlang lief. Aus Mitleid hat sie das Tier in ihrem Auto mitgenommen. Kurz vor dem Bahnhof wurde der Hund unruhig und hat die alte Dame in die Hand gebissen. Vor Schreck verlor sie die Kontrolle über ihren Wagen und fuhr gegen zwei geparkte Autos und einen Baum. Der Sachschaden beträgt 22.000,-- DM. Zum Glück wurde niemand verletzt.*

Solutions
Speaking

ANSWERS TO PRACTICE QUESTIONS

Role-plays targeted at grades G, F, E

Role-play 1
The conversation could go something like this:

Teacher   *Guten Abend. Was kann ich für Sie tun?*
You   *Guten Abend. Haben Sie noch Platz frei?*
Teacher   *Ja, für wie viele Personen?*
You   *Zwei Jungen und zwei Mädchen.*
Teacher   *Ja, das geht. Wie lange möchten Sie bleiben?*
You   *Für drei Nächte.*
Teacher   *Das ist in Ordnung.*
You   *Wann ist Frühstück?*
Teacher   *Um sieben Uhr.*
You   *Wo ist der Aufenthaltsraum, bitte?*
Teacher   *Der ist im Keller.*
You   *Danke schön.*

If you do not understand a reply you can always ask for it to be repeated: *Wie bitte? Können Sie das bitte wiederholen?* Or you can ask the teacher to speak more slowly: *Ich verstehe nicht. Können Sie bitte langsamer sprechen.*

As you are allowed to use a dictionary during the preparation time there should be no need to ask for the translation of a word.

Role-play 2
Your conversation could go like this:

You   *Guten Morgen. Ein Kilo Äpfel bitte.*
Teacher   *Sonst noch etwas?*
You   *Ja, vier Bananen.*
Teacher   *Wäre das alles?*
You   *Nein. Was kosten die Tomaten?*
Teacher   *4,50 DM pro Kilo. Möchten Sie ein Kilo?*
You   *Ja, bitte/Nein, danke. Was kostet das alles zusammen?*
Teacher   *Das macht 12,80 DM.*
You   *Ich habe nur einen Hundertmarkschein.*
Teacher   *Das macht nichts. Ich kann ihn wechseln.*

Role-plays targeted at grades D, C

Role-play 3
Your conversation should be something like this:

Teacher   *Guten Morgen. Kann ich Ihnen helfen?*
You   *Ja, ich möchte nach Genf fahren.*
Teacher   *Wann wollen Sie fahren?*
You   *Am Donnerstag nachmittag.*
Teacher   *Dann haben Sie einen Zug um 14.23 Uhr.*
You   *Wann kommt er in Genf an?*

Teacher	Um 18.30 Uhr.
You	Muß ich umsteigen?
Teacher	Nein, der Zug fährt durch.
You	Gut. Zwei Fahrkarten, einfach (or: hin und zurück) bitte.

Role-play 4

Your conversation could be something like this:

Teacher	Woher kommen Sie?
You	Ich komme aus England, aus Shropshire.
Teacher	Wie lange wollen Sie arbeiten?
You	Für sechs Wochen bitte, vom 1. Juli bis zum 14. August.
Teacher	Sie sprechen gut Deutsch. Wie lange lernen Sie schon Deutsch?
You	Seit drei Jahren.
Teacher	Was machen Sie in Ihrer Freizeit?
You	Ich spiele Fußball und lese gern.
Teacher	Haben Sie schon gearbeitet?
You	Ich arbeite in einem Lebensmittelgeschäft in England. Ich fülle die Regale auf und bin auch manchmal an der Kasse. Ich mache das jeden Samstag.

Role-play 5

The dialogue could be something like this:

Teacher	Kann ich Ihnen helfen?
You	Ja, bitte. Ich habe meine Uhr verloren.
Teacher	Können Sie die Uhr bitte beschreiben?
You	Ja. Es ist eine Armbanduhr. Eine Digitaluhr. Die Marke ist Seiko. Das ist eine japanische Marke. Das Armband ist aus Metal.
Teacher	Wo und wann haben Sie die Uhr verloren?
You	Das war heute vormittag. Ich war im Zug aus Hamburg.
Teacher	Woher kommen Sie?
You	Ich komme aus England, aus Tilbury.
Teacher	Wie ist ihr Name bitte?
You	Ich heiße John Saunders.
Teacher	Können Sie das bitte buchstabieren?
You	S-A-U-N-D-E-R-S, John.
Teacher	Wie lange bleiben Sie noch hier in Berlin?
You	Für eine Woche.

> **Examiner's note** In this role-play you can choose which item you lost, what it was like, where and when. So you can think of words, phrases and sentences which you know well and thus impress with your knowledge of German. So, if you do not know how to describe a watch, then decide on another object. You are in control. However, the teacher will ask two questions which you cannot anticipate, but they are never too specialised or too hard to catch a candidate out.

Role-play 6

Your dialogue could be like this:

Teacher	Hallo, wie geht's?
You	Danke gut. Und dir?
Teacher	Auch gut. Was machst du am Freitag?
You	Ich habe eine Einladung zu Petras Party.
Teacher	Ich auch. Wir werden uns also auf der Party sehen. Was willst du denn Petra schenken?
You	Ich weiß noch nicht. Ein Buch vielleicht. Oder eine CD.
Teacher	Was wirst du anziehen?
You	Ich werde eine schwarze Hose, ein buntes Hemd und einen Pullover anziehen.

Teacher	Und wie kommst du zu Petra?
You	Ich will mit dem Bus fahren.
Teacher	Wenn du willst, kannst du mit mir im Auto fahren. Ich hole dich ab. Was hast du an deinem letzten Geburtstag gemacht?
You	Als ich 16 Jahre war, hatte ich eine Party im Jugendzentrum. Meine Freunde waren da. Wir haben getanzt und viel getrunken.

Examiner's note Here the teacher asks you two additional questions which are intended to test your ability to use various tenses (future and past). Make sure you answer in the appropriate tense.

Role-plays targeted at grades B, A, A*

Role-play 7
Your talk could be like this:

You	Ich bin mit der Schule nach Koblenz gefahren. Das war im Mai. Wir sind um 4 Uhr morgens abgefahren. Das war ganz früh.
Teacher	Ja, das ist wirklich sehr früh. Da wart ihr sicher alle müde. Was hast du im Bus gemacht?
You	Wir waren alle ganz munter. Ich habe mit Freunden gesprochen. Dann habe ich gelesen. Die Busfahrt nach Dover war etwas langweilig. Wir haben nicht lange gewartet, nur 10 Minuten, dann kam die Fähre.
Teacher	Wie war die Überfahrt?
You	Nicht schlecht. Ich habe geschlafen. Kurz nach Ostende haben wir Pause gemacht. An einem Rastplatz. Ich war sehr hungrig. Ich habe Pommes Frites und eine Frikadelle gegessen. Es hat gut geschmeckt. Ich habe eine Cola getrunken.
Teacher	Und der Rest der Reise?
You	Das war nicht schlecht. Nur sehr, sehr lange. Auf der Autobahn gab es einen Stau, da haben wir über eine Stunde gewartet.
Teacher	Kannst du noch etwas erzählen, wo du übernachtet hast?
You	Ja, das Hotel war sehr schön. Ich hatte ein Dreibettzimmer, das ich zusammen mit meinen Freunden/Freundinnen Chris und Sam geteilt habe. Das Zimmer hatte Balkon und einen Fernseher. Wir haben aber nicht viel ferngesehen. Am ersten Abend waren wir sehr müde und haben schnell geschlafen.

Presentations

Presentation 1

Mein Urlaub

Letztes Jahr bin ich mit Freunden nach Schottland gefahren. Wir haben den Zug von Birmingham nach Fort William genommen, und wir haben in der Nähe von Ben Nevis gecampt. Ben Nevis ist Schottlands höchster Berg. Hier ist ein Foto vom Campingplatz mit unserem Zelt, und hier ist eine Postkarte mit Ben Nevis darauf.

Das Wetter war nicht gut. Es hat geregnet, und es war windig. Wir sind in Fort William ins Kino gegangen, und wir sind mit dem Zug nach Mallaig gefahren. Mallaig ist sehr schön. Hier ist meine Fahrkarte und der Fahrplan.

Wir haben auch das Prinz-Charlie Denkmal in Glenfinnan besucht. Das ist sehr romantisch. Hier ist ein schönes Foto, nicht wahr?

Am Freitag hatten wir schönes Wetter. Wir sind sehr früh aufgestanden und haben Ben Nevis bestiegen. Das war sehr anstrengend, und sehr weit, aber der Blick vom Gipfel ist wunderschön. Hier bin ich am Gipfel. Bergauf haben wir fünf Stunden gebraucht; bergab nur drei.

Presentation 2

Mein Job
Ich habe einen Job in einem Supermarkt. Ich arbeite am Donnerstagabend, am Freitagabend und am Samstag den ganzen Tag. Ich arbeite insgesamt 12 Stunden und verdiene etwa 45 Pfund.

Ich mache alles. Ich stocke die Regale auf, ich arbeite in der Bäckerei, und oft sitze ich an der Kasse.

Das ist ein bekannter Supermarkt – hier ist eine Broschüre. Es gibt dort Lebensmittel, Kleidung, Haushaltswaren und Sportartikel. Der Supermarkt ist sehr groß, und der Parkplatz ist für 500 Autos! Das liegt am Stadtrand.

Ich arbeite ganz gern dort. Die Arbeit selbst ist nicht sehr interessant, aber viele meiner Freunde und meiner Freundinnen arbeiten auch dort, also ist das manchmal ganz lustig.

Ich spare mein Geld für einen Computer wie diesen hier auf dem Bild.

Conversation

Self, home and family

Wie heißt du?	*Ich heiße Alex.*
Wie alt bist du?	*Ich bin fünfzehn/sechzehn Jahre alt.*
Hast du Geschwister?	*Ich habe einen Bruder/eine Schwester.*
Was ist dein Vater/deine Mutter von Beruf?	*Mein Vater ist Mechaniker und meine Mutter ist Krankenschwester.*
Hast du ein Haustier?	*Ich habe zwei Meerschweinchen.*
Hast du dein eigenes Zimmer zu Hause?	*Ich teile ein Zimmer mit meinem Bruder.*
Beschreibe deine Familie.	*Wir sind fünf in der Familie. Ich habe zwei Brüder, James und Andrew. Mein Vater ist Mechaniker und meine Mutter ist Krankenschwester.*

School

Welche Fächer hast du in der Schule?	*Ich lerne Englisch, Mathe, Deutsch, Naturwissenschaften, Erdkunde, Religion, Sport und Technologie.*
Was ist dein Lieblingsfach?	*Mein Lieblingsfach ist Deutsch.*
Seit wann lernst du Deutsch?	*Ich lerne seit drei Jahren Deutsch.*
Wann beginnt die Schule am Morgen?	*Die Schule beginnt um Viertel vor neun.*
Beschreibe deine Schule.	*Meine Schule ist eine gemischte Gesamtschule. Sie ist relativ groß, mit etwa tausend Schülern und Schülerinnen. Das Schulgebäude ist relativ alt, die Lehrer meistens auch! Alle sind sehr freundlich.*

Holidays, visits abroad

Wo warst du letztes Jahr im Urlaub?	*Ich war letztes Jahr in Spanien.*
Wie war das Wetter?	*Das Wetter war gut, warm und sonnig.*
Was hast du in den Ferien gemacht?	*Ich bin geschwommen, ich habe viel gegessen, und ich bin oft in die Disco gegangen.*
Welche Pläne hast du für die nächsten Ferien?	*Ich werde mit Freunden nach Devon fahren. Wir wollen campen.*

Warst du schon einmal in Deutschland?

Ich habe letztes Jahr einen Austausch nach Köln gemacht.

Erzähle ein bißchen von deinen letzten Ferien.

Ich war letztes Jahr in Spanien. Das Wetter war gut, warm und sonnig. Ich bin geschwommen, ich habe viel gegessen, und ich bin oft in die Disco gegangen. Dort habe ich viele neue Freunde kennengelernt. Wir haben in einem Hotel gewohnt. Das Essen war besonders gut dort.

Free time, entertainment, sport, hobbies, media

Was machst du in deiner Freizeit?

Ich spiele Hockey und Badminton.

Was hast du letztes Wochenende gemacht?

Ich bin mit meinen Freunden einkaufen gegangen. Am Samstag abend gab es eine Party bei Mary. Am Sonntag habe ich viel geschlafen, und am Sonntag abend habe ich meine Hausaufgaben gemacht.

Was hast du gestern abend im Fernsehen gesehen?

Ich habe einen Krimi gesehen, und dann einen romantischen Film.

Treibst du Sport? Wo? Wann?

Ich spiele Hockey jeden Freitag in der Schule.

Was machst du gewöhnlich am Wochenende?

Ich gehe einkaufen, ich treffe mich mit meinen Freunden, ich koche eine Pizza mit meinem kleinen Bruder.

Was willst du nächstes Wochenende machen?

Ich will nach Birmingham fahren, um zu einem Konzert meiner Lieblingsgruppe zu gehen.

Daily routine

Wann stehst du normalerweise auf?

Ich stehe um sieben Uhr auf.

Was ißt du zum Frühstück?

Ich esse Müsli und Toast mit Orangenmarmelade. Ich trinke Tee.

Wie kommst du zur Schule?

Ich komme mit dem Bus.

Wann verläßt du dein Haus?

Ich verlasse das Haus um Viertel nach acht.

Um wieviel Uhr ißt du dein Abendessen?

Wir essen um halb sechs.

Wann gehst du gewöhnlich ins Bett?

Ich gehe um zehn Uhr ins Bett.

Beschreibe einen typischen Tag.

Ich stehe um sieben Uhr auf. Zum Frühstück esse ich Müsli und Toast mit Orangenmarmelade. Ich trinke Tee dazu. Ich verlasse das Haus um Viertel nach acht und fahre mit dem Bus zur Schule. Die Schule beginnt um Viertel vor neun. Nach der Schule komme ich gegen Viertel nach vier zu Hause an. Ich sehe fern, dann essen wir um halb sechs. Ich spüle, mache meine Hausaufgaben, übe Klavier oder Geige, spiele mit meinem Meerschweinchen Pudding und höre Musik. Ich gehe um zehn Uhr ins Bett.

Home town, village or area

Wo wohnst du?	*Ich wohne in Banbury.*
Wo liegt das genau?	*Das liegt in Mittelengland, in der Nähe von Oxford.*
Ist das eine große Stadt oder ein kleines Dorf?	*Das ist eine mittelgroße Stadt mit etwa 40.000 Einwohnern.*
Was gibt es in deiner Gegend zu sehen?	*Man kann die Cotswolds besuchen – das ist ein schönes ländliches Gebiet.*
Was kann man in Banbury machen?	*Man kann in die Disco gehen, oder ins Sportzentrum. Es gibt ein kleines Theater. Man kann auch gut einkaufen, besonders auf dem Markt.*
Was sind die wichtigsten Industrien dort?	*Wichtige Industrien sind die Lebensmittelindustrie. Man produziert auch Autoteile und es gibt ein großes Labor für die Aluminiumindustrie.*
Welche Sehenswürdigkeiten gibt es in Banbury?	*Es gibt eine schöne Kirche aus dem 18. Jahrhundert, das berühmte Kreuz, einen schönen Marktplatz und einige hübsche Straßen.*
Welche Ausflüge kann man dort machen?	*Man kann nach Oxford, nach Leamington oder in die Cotswolds fahren. Es gibt auch eine direkte Zugverbindung nach London.*

Friends

Wie heißt dein bester Freund/deine beste Freundin?	*Er/Sie heißt Sam.*
Was machst du mit deinem Freund/deiner Freundin?	*Wir plaudern, wir treiben Sport zusammen, wir hören Musik, und wir gehen zusammen einkaufen.*
Beschreibe deinen Freund/deine Freundin.	*Sam ist mittelgroß. Er/Sie hat braune Haare und braune Augen. Er/Sie ist immer schick angezogen. Er/Sie trägt immer Jeans und Trainingsschuhe und ein Adidas-Sweatshirt. Er/Sie ist immer gut gelaunt und freundlich, und lacht sehr viel. Es macht Spaß, mit Sam zusammen zu sein.*

Shopping

Wo kaufst du deine Kleidung ein?	*Ich kaufe meine Kleidung in der nächsten Großstadt ein.*
Was ist dein Lieblingsgeschäft?	*Mein Lieblingsgeschäft heißt . . .*
Wer bezahlt deine Kleidung? Du oder deine Eltern?	*Meine Eltern bezahlen meine Kleidung. Ich darf aber meistens aussuchen, was ich kaufe.*
Interessierst du dich für Mode?	*Ich finde Mode ziemlich interessant, aber es gibt auch wichtigere Probleme auf der Welt.*

Future plans

Was hast du am nächsten Wochenende vor?	*Ich will nach London fahren, um meine Großeltern zu besuchen. Wir wollen zusammen einkaufen gehen, und dann ins Britische Museum gehen. Abends wollen wir essen gehen, weil meine Großmutter Geburtstag hat.*

Was sind deine Pläne für den Sommer?

Ich will mit meinen Freunden nach Devon fahren. Wir wollen campen.

Was willst du nächstes Jahr machen?

Nächstes Jahr will ich in die Oberstufe gehen. Ich will wahrscheinlich Mathe, Biologie und Deutsch lernen.

Was wirst du nach deinen Prüfungen machen?

Ich will mich ausruhen, und dann arbeiten und ein bißchen Geld verdienen.

Wo möchtest du wohnen, wenn du 25 Jahre alt bist? Warum?

Ich möchte in London wohnen. Ich finde die Großstadt sehr lebhaft, und man kann vieles unternehmen.

Möchtest du später einmal Kinder haben?

Das kommt darauf an. Wenn ich einen netten Partner/eine nette Partnerin finde, dann vielleicht. Mal sehen.

Welchen Beruf möchtest du machen?

Ich weiß es noch nicht. Mein Beruf soll interessant sein, und ich möchte auch anderen helfen und vielleicht relativ gut verdienen.

Was sind deine Zukunftspläne?

Ich will noch zwei Jahre auf die Schule gehen. Dann will ich vermutlich an der Universität weiterstudieren.

Work, careers, employment

Hast du einen Nebenjob?

Ja, ich arbeite bei einer Firma, die Bücher verkauft.

Wie viele Stunden arbeitest du pro Woche?

Ich arbeite sechs Stunden pro Woche.

Wieviel verdienst du?

Ich verdiene 24 Pfund pro Woche.

An welchen Tagen arbeitest du?

Ich arbeite am Freitag abend und am Samstag morgen.

Wie gefällt dir deine Arbeit? Warum?

Ich finde meine Arbeit ziemlich interessant, weil man Pakete in die ganze Welt schickt.

Was sind die Vorteile eines Nebenjobs?

Man hat etwas mehr Geld in der Tasche, man lernt etwas, man lernt andere Menschen kennen.

Was die Nachteile?

Nicht alle Jobs sind interessant und gut bezahlt. Und man ist oft müde nach der Arbeit.

Was sind deine Eltern von Beruf?

Mein Vater ist Mechaniker und meine Mutter ist Krankenschwester.

Pocket money

Wieviel Taschengeld bekommst du?

Ich bekomme fünf Pfund die Woche.

Was kaufst du mit deinem Taschengeld?

Ich kaufe CDs und Zeitschriften.

Wofür sparst du?

Ich spare für einen Computer.

Food and drink

Was ißt du gern?

Ich esse gern Italienisches: Pizza, Spaghetti Bolognese, Canneloni.

Was ißt du nicht gern?

Ich esse nicht gern Rosenkohl.

Was trinkst du lieber, Tee oder Kaffee?

Ich trinke lieber Tee.

Was hast du gestern abend gegessen?

Als Hauptgericht habe ich Schinken mit Salat gegessen. Zum Nachtisch gab es Joghurt.

Was ist dein Lieblingsessen?	*Mein Lieblingsessen ist Brathähnchen.*
Was kochst du gern?	*Ich koche gern Pizza.*
Gehst du gern ins Restaurant essen?	*Ich esse nicht sehr oft im Restaurant – es ist zu teuer.*

Special occasions

Wann hast du Geburtstag?	*Ich habe am 20. Februar Geburtstag.*
Wie feierst du deinen Geburtstag?	*Ich lade Freunde ein. Wir essen Pizza und sehen Videos bis spät in die Nacht.*
Welche Geschenke hast du letztes Jahr bekommen?	*Letztes Jahr habe ich von meinen Eltern ein neues Mountainbike bekommen. Von meiner Freundin/Von meinem Freund habe ich einen Schal bekommen.*
Was machst du an Weihnachten/Eid/ Diwali/Ramadan/Passa?	*Wir feiern das in der Familie. Wir vergessen das Religiöse nicht. Aber es gibt auch ein festliches Essen und Geschenke.*
Wie feierst du Sylvester?	*Ich gehe mit meinen Freunden und Freundinnen aus.*
Erzähle etwas von einer Party bei dir zu Hause oder bei einem Freund/ einer Freundin.	*Ich habe zu meinem Geburtstag eine Party gehabt. Ich habe ein kaltes Büfett vorbereitet, und es hat geschmeckt. Wir haben dumme Partyspiele gemacht und viel gelacht. Wir haben auch getanzt. Wir haben bis spät in die Nacht gefeiert, aber am nächsten Morgen haben wir alles aufgeräumt. Meine Eltern waren erstaunt, daß wir alles selbst organisiert hatten.*

Solutions
Reading

ANSWERS TO PRACTICE QUESTIONS

Exercises targeted at grades G, F, E

Question 1
The question here asks you to make a cross against what was found (ticks are also acceptable). However, only one answer is correct. If you tick two or all three you will not get any marks. Look at the pictures and compare each one with the description of the lost cat (small, black and white). All features must fit. C is correct.

Question 2
Here you are to write *Ja* or *Nein* under every picture. No ticks or crosses are allowed. Pictures A, B and E are *Nein*, pictures C and D are *Ja*.

Question 3
The question asks you to match the signs with the places. First, check that you fully understand the signs and places, then write the correct letter in the boxes. The answers are:

im Kino	*E*	*an der Tankstelle*	*C*
in der Stadt	*A*	*im Hotel*	*D*
im Bahnhof	*B*		

Question 4
This is one of the so-called overlap questions, so it will be the same for Foundation and Higher Tier. In this example you have to insert the correct name into the blanks in order to make true statements.

(a) *Jürgen*: the verb *fliegen* indicates that he will be travelling by plane.
(b) *Herr Meyer*: the word *Hotel* is actually mentioned in the text.
(c) *Heike*: *mit dem Wohnwagen* means 'with the caravan', so this implies staying on a campsite.
(d) *Jürgen*: *alleine* (alone) gives it away, so he will be without his parents.
(e) *Herr Meyer*: apart from the fact that Sylt is a well-known island in the North Sea, the word *Strand* (beach) and the fact he mentions *in de Nordsee baden* shows that they are having a seaside holiday.

Question 5
This is a Higher Tier question and the letter contains some difficult language. You may need to look up some words or phrases in your dictionary, such as *Wehrdienst, Zivildienst, versetzt* or *ich stehe auf fünf. Bürokaufmann* may not be familiar either. But with the help of the dictionary it should all become clear.

(a) A Manchester United sticker.
(b) i) a lot of homework; ii) a lot of tests/up to three tests per week.
(c) Because he might have to repeat the year.
(d) He will work at the Bosch company in the office.
(e) He does not approve of it (this is implied by his statement that he will do community service).

Question 6

In this question you have an authentic newspaper article. The task is to complete a table by taking the main information from the text. You are not meant to write complete sentences, just a few key words suffice. Paragraphs 3–5 contain the relevant information. There are several solutions mentioned to each of the problems. The question asks for only one point for each so there is some choice. Again you will need to use your dictionary to look up some unfamiliar words.

Arbeitsbereich	*Problem*	*geplante Lösung*
Sicherheitskonzept	—	*neu überarbeitet*
Verkehr	*Verkehrschaos*	*kein Individualverkehr/ Wasserweg*
Hotels	*zu wenig Kapazität*	*schwimmende Hotels/neue Hotels bauen*

Solutions
Writing

ANSWERS TO PRACTICE QUESTIONS

Exercises targeted at Grades G, F, E

Question 1

Here you need to list food and drinks, nothing else. Do not include brand names such as Marmite, etc. in your list. However, *Cola* would be acceptable. You don't need to include quantities or the gender of the items.

Question 2

You need to be sensible when writing this list, so this is no place for animals or persons or items not normally used in camping. You could include a folding chair or table, if you know the German for it (*der Klappstuhl/der Klapptisch*).

Question 3

This task is more demanding than the first two. Do not confuse *Name* (surname) and *Vorname* (first name). Note that you are to supply two hobbies. There is no need to be absolutely truthful, just give the answers using words you know will fit in the categories.

Question 4

You do not have to write complete sentences. Just make sure that the second column (*Wo*) contains a noun, describing a place, and the third (*Was*) a verb.

Question 5

Your answer could be something like this:

Lieber Peter,
ich bin mit dem Zug an die See gefahren. Ich bleibe 3 Nächte im Hotel. Das Wetter ist
gut. Ich gehe ins Kino. Am Abend gehe ich in die Disco.
Dein/Deine,

> **Examiner's note** You only need to write one sentence per picture. It does not matter in which order you take them. Don't forget to write a suitable greeting.

Question 6

Your answer could be:

Peter,
dein Freund Mark hat angerufen. Er will dich in der Stadtmitte, am Rathaus treffen.
Um 14.00 Uhr. Er will ins Kino gehen. Du mußt Geld mitbringen.

Question 7

A possible answer is:

Andrew,
ich gehe in die Stadt. Ich kaufe eine Hose. Du kannst Kuchen essen (im Kühlschrank).
Im Fernsehen gibt es einen Film um 16.00 Uhr. Ich komme um 17.00 Uhr zurück.

Question 8
Your answer could be:

Lieber Helmut,
ich bin vor zwei Wochen umgezogen. Wir wohnen jetzt in Newport, weil meine Mutter
dort eine neue Arbeit hat.
    Das neue Haus ist alt und klein. Es gibt drei Schlafzimmer und eine Küche, ein
Badezimmer und ein Wohnzimmer. Der Garten ist groß, es gibt Rasen und Blumen.
    Die Nachbarn sind sehr nett. Sie haben eine Katze, die oft im Garten ist.
    Newport ist eine kleine Stadt. Ich mag Sie, weil es viel zu tun gibt. Es gibt ein Kino, ein
Theater und viele Geschäfte.
    Ich wohne gern in unserem neuen Haus, weil es in der Stadtmitte ist.
    Schreib bitte bald,
Dein
Andrew

Question 9
A possible answer is:

Lancaster, den 5. Juni

Liebe Petra,
es ist Juni. Im Juli gibt es Ferien. Willst Du zu mir nach England kommen? Du kannst
vom 12. bis zum 24. Juli kommen. Das wäre gut. Du kannst mit dem Zug fahren.
    Ich habe zwei Betten in meinem Zimmer. Du kannst in meinem Zimmer schlafen.
    In England können wir einkaufen, Freunde treffen, in die Disco und ins Kino gehen.
Wir machen auch Camping, wenn das Wetter schön ist. Bringe Deinen Rucksack und
Wanderschuhe mit.
    Ich hoffe, bald von Dir zu hören,
Deine
Jessica

Question 10
A possible answer is:

Newcastle upon Tyne, den 11. Mai

Lieber Herbergsvater,
ich habe vor, im kommenden Sommer mit Freunden in die Schweiz zu fahren. Wir sind vier
Jungen und vier Mädchen. Wir wollen vom 2. bis zum 10. August kommen. Das sind
8 Nächte. Haben Sie noch Platz frei?
    Wir möchten Frühstück, Mittagessen und Abendessen haben. Geht das? Auch wollen wir
Fahrräder leihen. Was kostet das pro Tag und Person?
    Vielen Dank für Ihre Mühe. Ich lege einen adressierten Umschlag und einen
internationalen Antwortschein bei.
Mit freundlichen Grüßen,
James Hexham

Question 11
A possible answer is:

Newtown, den 19. Juni

Sehr geehrte Damen und Herren,
ich war vom 10. bis zum 16. Juni in Bonn. Ich habe meinen Regenschirm verloren. Das
war in der Stadtmitte, am 16. Juni, vor dem Bahnhof oder im Bus. Der Regenschirm ist
schwarz mit einem Griff aus Holz. Er ist rund und 30 cm lang. Der Regenschirm kostete
50,-- DM. Das ist teuer. Haben Sie den Regenschirm gefunden? Wenn ja, dann schicken

Sie ihn bitte an meine Adresse in England: 42 High Street, Newtown, NT23 9QW.
Ich werde das Paket bezahlen.
Vielen Dank im voraus für Ihre Mühe.
Mit freundlichen Grüßen
Chris Mackintosh

Exercises targeted at grades B, A, A*

Question 12
Your answer could be:

Ich komme aus Newport in England. Mit meinen Freunden Peter, Mark und Andrew bin ich hier zum Camping. Wir haben zwei Zelte. Wir sind schon eine Woche in der Schweiz. Es hat uns bis jetzt gut gefallen.

Gestern war das Wetter gut. Die Sonne hat geschienen. Es war heiß. Dann, in der Nacht fing es an, zu regnen. Erst langsam, dann immer schneller. Es gab ein Gewitter. Plötzlich bin ich aufgewacht. Es war Wasser im Zelt. Meine Freunde sind auch aufgewacht. Alles war naß. Dann sind wir schnell zum Waschraum gelaufen. Viele Leute waren auch dort. Es war sehr windig. Ein Zelt ist geflogen. Im Zelt war ein Mädchen, das verletzt war. Mein Freund Mark hat den Krankenwagen angerufen.

Wir konnten in der Nacht nicht mehr schlafen. Unser Zelt war auch kaputt. Am Morgen sagte der Besitzer des Campingplatzes, daß wir zur Schule gehen sollen. In der Schule gab es für uns alle Frühstück. Wir werden jetzt zwei Nächte in der Jugendherberge verbringen, dann fahren wir nach England zurück.

Question 13
A sample answer is:

Der beste Tag des Austausches.
Im vergangenen Juni war ich für zehn Tage mit meiner Schule zu einem Austausch in Koblenz. Der Aufenthalt war prima. Meine Gastfamilie war immer freundlich und ich habe mich gut mit meinem Partner verstanden.

Der beste Tag war ein Donnerstag. Früh am Morgen, um 6 Uhr, waren wir alle vor der Schule. Wir sind dann mit dem Bus nach Köln gefahren. Wir haben in Köln eine Stadtrundfahrt gemacht. Das Wetter war schön. Die Sonne schien, es war warm. Nach der Rundfahrt haben wir ein Museum besucht. Es war das römisch-germanische Museum. Normalerweise finde ich Museen langweilig, aber dieses Museum ist wirklich interessant. Das Beste aber war der Nachmittag. Wir sind mit dem Bus weitergefahren, und zwar nach Brühl zum 'Phantasialand'. Das 'Phantasialand' ist ein großer Freizeitpark. Man kann dort viel machen. Es war fantastisch. Am Abend sind wir um 7 Uhr nach Koblenz zurückgefahren.

Sofort danach habe ich mich umgezogen, denn mein Partner und ich gingen in die Disco. Wir haben bis spät in die Nacht getanzt. Ich habe ein nettes Mädchen kennengelernt. Sie heißt Andrea und wohnt in Koblenz.

Spät in der Nacht war ich wieder zu Hause. Es war ein langer, anstrengender aber auch wunderbarer Tag, der beste Tag des Austausches.

Timed practice papers

PRACTICE PAPER 1 – LISTENING (APPROX. 30 MINUTES)

Listen to the passages recorded on the audio tape or ask a friend to read the transcripts (pp. 80–5).

Which exercises to do
Foundation Tier candidates should do exercises targeted at grades G, F, E **and** exercises targeted at grades D, C. Higher Tier candidates should do exercises targeted at grades D, C **and** exercises targeted at grades B, A, A*.

Exercises targeted at grades G, F, E

Play each recording twice. Use the pause button to give you time to read the questions and write down your answers.

Question 1
You are at the railway station. Where does the train to Bonn leave from?

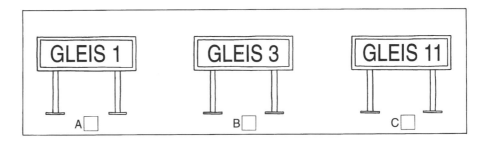

Question 2
In the train the conductor speaks to you. What does he want to see?

Question 3
In Bonn you ask the way to the town centre.

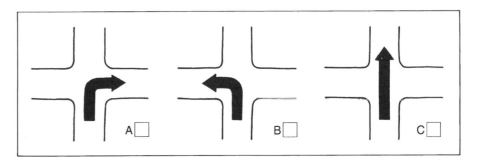

Question 4

In a shop you overhear what the customer in front of you says. What does he ask for?

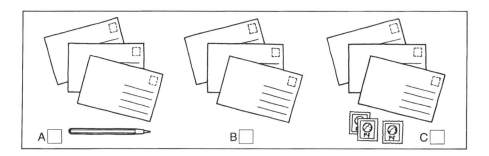

Question 5

You hear an announcement in a supermarket. What is on special offer today?

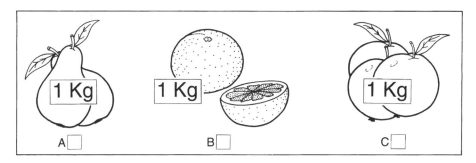

Question 6

Deine deutsche Brieffreundin beschreibt ihre Familie. Schreibe den richtigen Buchstaben neben die Bilder:

Hans-Jörg	A		Heidrun	C
Sven	B		Evelyn	D

Question 7

Vier deutsche Jugendliche sprechen über das Essen. Fülle die Tabelle auf deutsch aus.

Name	ißt gern	ißt nicht gern	trinkt gern	trinkt nicht gern
Mark	Pommes			warme Milch
Luise		Schweinefleisch	Limonade	
Petra	Obst		Tee	
Katrin				Wasser

Exercises targeted at grades D, C

Question 8

Vier Schüler erzählen von ihren Sommerferien. Fülle die Tabelle auf deutsch aus.

Name	Wo?	Wetter?	Was gemacht?
Karl-Heinz	England		ins Kino gegangen
Annemarie		sonnig	
Wilhelm			wandern
Regina			

Question 9

Du bist im Reisebüro und hörst, was die Kundin vor dir sagt. Ergänze die Sätze auf deutsch.

(a) Die Frau möchte nach .... fahren.
(b) Die Frau sagt, das Flugzeug ist ....
(c) Die Reise mit dem Zug dauert ....
(d) Die Frau muß nicht ....

Question 10

Ein deutscher Schüler spricht über die Schule.
Lies die Sätze.
Wenn die Aussage richtig ist, schreibe ein R ins Kästchen.
Wenn die Aussage falsch ist, schreibe ein F ins Kästchen.

(a) Die Schule beginnt um acht Uhr. ☐
(b) Wolfgang fährt mit dem Mofa zur Schule. ☐
(c) Die Pause ist um neun Uhr. ☐
(d) Wolfgang ißt Butterbrote in der Pause. ☐
(e) Wolfgangs Lieblingsfach ist Sport. ☐
(f) Sport ist montags und freitags. ☐
(g) Wolfgang haßt Werken. ☐
(h) Er hat einen Tisch gemacht. ☐

Question 11

Im Fundbüro. Fülle das Formular auf deutsch aus.

Objekt: *Sporttasche*

Wo verloren? .... oder ....

Wann? Tag? ....

        Zeit? ....

Beschreibung: ....

....

Inhalt: .... und ....

Question 12
You hear three German teenagers talk about their hobbies. For each sentence tick the correct box.

	Heike	*Ulrich*	*Birgit*
Who does sport at the weekend?			
Who does not like gardening?			
Who carries on even in the rain?			
Who likes writing letters?			
Whose parents have a video collection?			

Exercises targeted at grades B, A, A*

Question 13
Sylvia spricht über Sylvester in Deutschland.
Wenn die Aussage richtig ist, schreibe ein R ins Kästchen.
Wenn die Aussage falsch ist, schreibe ein F ins Kästchen.

1. Teil
(a) Sylvias Familie feiert Sylvester gern. ☐
(b) Onkel Otto ist immer streng. ☐
(c) Sylvias Bruder hat drei Freunde mitgebracht. ☐
(d) Es gab Hähnchen und Brot zu essen. ☐
(e) Nach dem Essen haben alle getanzt. ☐

2. Teil
(a) In der Stadt gab es ein Feuerwerk. ☐
(b) Sylvias Familie konnte das Feuerwerk vom Garten sehen. ☐
(c) Die Nachbarn sagten, alle waren zu laut. ☐
(d) Sylvias Vater gab allen Wein. ☐
(e) Die Familie hat viele gute Ideen für das neue Jahr. ☐
(f) Sylvias Bruder hat keinen Vorsatz gemacht. ☐
(g) Sylvias Bruder raucht immer noch viel. ☐

Question 14
Two neighbours, Frau Müller and Herr Schneider, give their opinions about public transport.
     Answer the questions:

Example
The journey home from work:
Herr Schneider: likes   ☐

                      dislikes   ☒

                      reason: *traffic jams*

(a) The rail-link with the City centre:
Frau Müller: likes   ☐

              dislikes   ☐

              reason: ....

(b) Train as transport for going on holiday:
Herr Schneider: likes   ☐

                      dislikes   ☐

                      reason: ....

(c) Going on holiday by car:
Frau Müller: reason: ....

(d) Considering using the train and bus to go to work:
Herr Schneider: reason A   ....

                      reason B   ....

ANSWERS AND TRANSCRIPTS TO PRACTICE PAPER 1 – LISTENING

Question 1
Correct answer: B

Transcript: *Der nächste Zug nach Bonn fährt um 11.00 Uhr von Gleis 3.*

Question 2
Correct answer: A

Transcript: *Ihre Fahrkarten bitte.*

Question 3
Correct answer: C

Transcript: *Gehen Sie hier immer geradeaus.*

Question 4
Correct answer: A

Transcript: *Drei Postkarten und einen Kuli bitte.*

Question 5
Correct answer: C

Transcript: *Heute im Angebot. Äpfel 1,20 DM das Kilo.*

Question 6

Hans-Jörg	A – 3	Heidrun	C – 6
Sven	B – 2	Evelyn	D – 5

Transcript: *Mein Bruder Sven ist zwölf Jahre alt. Er hat blonde, lockige Haare. Mein Vater heißt Hans-Jörg. Er ist 45, ein bißchen dick und trägt eine Brille. Meine Mutter heißt Heidrun. Sie ist auch 45. Sie ist immer gut gelaunt und lacht. Sie hat lange Haare. Meine ältere Schwester Evelyn ist 21. Sie arbeitet als Krankenschwester in Heidelberg. Evelyn ist schlank, groß und hat kurze, schwarze Haare.*

Question 7

Name	ißt gern	ißt nicht gern	trinkt gern	trinkt nicht gern
Mark	Pommes	Fisch	Cola	warme Milch
Luise	Suppe	Schweinefleisch	Limonade	Bier
Petra	Obst	Schokolade	Tee	Kaffee
Katrin	Nudeln	Kartoffeln	Apfelsaft	Wasser

Transcript:

Ich heiße Mark. Ich esse gern Pommes mit Ketchup. Ich mag Fisch nicht gern. Ich trinke gern Cola, aber ich hasse warme Milch.

Tag. Ich bin Luise. Mein Lieblingsessen ist Suppe. Ja, Suppe. Ich esse kein Schweinefleisch. Ich trinke gern Limonade. Bier mag ich nicht.

Hallo. Ich heiße Petra. Ich bin Vegetarierin. Ich esse gern Obst. Schokolade esse ich nicht. Das macht dick. Ich trinke gern Tee mit Milch, aber ich trinke nicht gern Kaffee.

Grüß Gott. Ich bin die Katrin. Ich esse gern Nudeln. Ich mag Kartoffeln nicht gern. Mein Lieblingsgetränk ist Apfelsaft. Ich trinke Wasser nicht gern.

Question 8

Name	Wo?	Wetter?	Was gemacht?
Karl-Heinz	England	geregnet/Regen	ins Kino gegangen
Annemarie	zu Hause	sonnig	im Garten gearbeitet
Wilhelm	Schweden	kalt	wandern
Regina	Norditalien	Schnee	Ski gefahren

Transcript:

Ich heiße Karl-Heinz. In den Ferien war ich in England. Das Wetter war schlecht. Es hat viel geregnet. Ich bin oft mit meinem Brieffreund ins Kino gegangen.

Ich heiße Annemarie. In den Ferien bin ich zu Hause geblieben. Das Wetter war sehr gut. Immer sonnig. Ich habe viel im Garten gearbeitet.

Ich bin Wilhelm. Ich hatte schöne Ferien. Ich war mit meinem Bruder in Schweden. Es war ein bißchen kalt. Aber das machte nichts. Wir sind viel gewandert.

Mein Name ist Regina. Ich habe meine Ferien in Italien verbracht. Das war in Norditalien. Es gab viel Schnee. Jeden Tag hat es geschneit. Ich bin Ski gefahren.

Question 9
(a) Die Frau möchte nach *England* fahren.
(b) Die Frau sagt, das Flugzeug ist *zu teuer*.
(c) Die Reise mit dem Zug dauert *zehn Stunden*.
(d) Die Frau muß nicht *umsteigen*.

Transcript:

Kundin	Guten Tag. Ich möchte schnell nach England fahren.
Mann	Am schnellsten geht das mit dem Flugzeug. Es gibt sechs Flüge pro Tag. Das kostet 280,-- DM hin und zurück.
Kundin	Das ist mir ein bißchen zu teuer.
Mann	Dann können Sie mit der Bahn fahren. Das dauert etwa zehn Stunden bis London. Es gibt da einen Nachtzug, dann sind sie kurz vor Mittag in London.

Kundin   Das klingt gut. Muß ich umsteigen?

Mann   Nein. Der Zug geht direkt bis Ostende. Dann mit der Fähre nach Dover und weiter mit dem Zug durch bis London.

Question 10

(a) F   (e) R
(b) R   (f) F
(c) R   (g) F
(d) F   (h) R

Transcript:

Tag, ich heiße Wolfgang.

Ich gehe nicht gern in die Schule. Der Unterricht beginnt schon um halb acht. Ich muß also schon um sechs Uhr aufstehen. Die Schule ist vier Kilometer von hier. Ich fahre mit dem Mofa. Wir haben eine Pause um neun Uhr. Ich esse dann einen Apfel und trinke Milch. Mein Lieblingsfach ist Sport. Das haben wir am Mittwoch und Freitag. Werken ist auch nicht schlecht. Vor einer Woche habe ich einen kleinen Tisch fertig gemacht. Er steht jetzt in unserem Wohnzimmer.

Question 11

Objekt: **Sporttasche**

Wo verloren? *im Schwimmbad oder im Café*

Wann? Tag? *Montag*

Zeit? *zwischen 14.00 Uhr und 16.30 Uhr*

Beschreibung: *aus Leder, schwarz, mit goldenem Löwen*

Inhalt: *Badehose/Handtuch/Seife/Shampoo* (any two of these)

Transcript:

Kunde   Ich möchte einen Verlust melden.

Mann   Gut. Dann müssen wir dieses Formular ausfüllen. Was haben Sie verloren?

Kunde   Eine Sporttasche.

Mann   Wo haben Sie die Tasche verloren?

Kunde   Also, ich war im Schwimmbad. Dann bin ich mit dem Bus zur Stadtmitte gefahren und in ein Café gegangen. Als ich später mit der U-Bahn nach Hause gefahren bin, habe ich gemerkt, daß ich die Tasche nicht mehr hatte.

Mann   Ja, und wann war das?

Kunde   Gestern nachmittag, so zwischen zwei und halb fünf.

Mann   Also am Montag zwischen 14.00 Uhr und 16.30 Uhr. Können Sie die Tasche beschreiben?

Kunde   Ja, die Sporttasche ist aus Leder, schwarz mit einem goldenen Löwen.

Mann   So, gut. Was war denn in der Tasche?

Kunde   In der Tasche waren meine Badesachen: Badehose, Handtuch und auch Seife und Shampoo.

Mann   Vielen Dank. Ich glaube, Sie haben Glück. Warten Sie bitte einen Moment. Ich sehe mal in unserem Lager nach.

Question 12

	Heike	Ulrich	Birgit
Who does sport at the weekend?		✔	
Who does not like gardening?			✔
Who carries on even in the rain?		✔	
Who likes writing letters?	✔		
Whose parents have a video collection?			✔

Transcript:

Heike Was machst du am Wochenende, Ulrich?

Ulrich Ich werde wieder zum See fahren. Ich gehe dort segeln. Gegen Abend grillen wir dann. Das macht viel Spaß. Die ganze Familie kommt mit. Und du, Heike?

Heike Ich werde zu Hause bleiben. Wir haben einen großen Garten. Da gibt es jetzt viel zu tun. Die Erdbeeren sind reif. Die pflücke ich und meine Oma kocht Marmelade. Bei der Gartenarbeit wird man auch schön braun. Viel besser als auf der Wiese im Schwimmbad. Was machst du denn Birgit?

Birgit Ich werde in die Disco gehen. Tanzen bis spät in die Nacht. Das ist für mich ein gutes Wochenende. Gartenarbeit mag ich nicht. Das ist so anstrengend und tut im Rücken weh. Was machst du Ulrich, wenn es regnet? Dann kannst du ja nicht zum See.

Ulrich Wenn es regnet, dann segle ich auch. Nur bei Sturm geht das nicht. Also, ein bißchen Regen stoppt mich da nicht. Übrigens wird man beim Segeln ja immer etwas naß.

Birgit Und was machst du bei schlechtem Wetter, Heike?

Heike Also ich sitze dann in meinem Zimmer, höre Musik, schreibe Briefe oder stricke. Ich mache gerade einen Pullover für meinen Vater. Gehst du jeden Samstag in die Disco, Birgit?

Birgit Wenn es geht schon. Aber wenn ich kein Geld habe, muß ich zu Hause bleiben. Dann sehe ich fern oder ein Video. Meine Eltern haben viele gute Videos von alten Filmen. So kann man sich auch einen schönen Abend machen.

Question 13

1. Teil

(a) R
(b) F
(c) R
(d) F
(e) R

2. Teil

(a) R
(b) F
(c) F
(d) F
(e) R
(f) F
(g) R

Transcript:

Erster Teil

Also, ich mag Sylvester. Bei uns in der Stadt ist immer viel los. Es gibt viele Partys und alle feiern. Letztes Jahr hatten wir eine große Party zu Hause. Meine Eltern hatten Onkel Otto und seine Familie eingeladen. Onkel Otto ist immer sehr lustig, und ich verstehe mich sehr gut mit seinen drei Töchtern, meinen Kusinen. Tante Marlies, Onkel Ottos Frau, ist ein bißchen streng, aber sie kann sehr gut eine Feier organisieren. Mein älterer Bruder war auch da. Er hatte drei Freunde eingeladen. So hatten wir vier junge Männer zum Tanzen.

Also, zuerst haben wir ein gutes Abendessen gehabt. Mutter hat einen großen Karpfen gekocht. Es war lustig, mit 12 Personen um den Eßtisch zu sitzen. Es hat alles ganz prima geschmeckt. Danach haben wir einige Spiele gespielt. Onkel Otto hat viele Witze gemacht. Es war alles ganz fröhlich. Später haben wir getanzt. Mein Bruder hat seine CDs aufgelegt, und los ging's. Mutter hat gar nicht gemeckert wegen der lauten Musik und so.

Zweiter Teil
Kurz vor zwölf Uhr fing es dann an: Feuerwerk. Von überall hörte man die Knaller, und die Stadt hatte ein großes Feuerwerk am Schloßberg organisiert. Das konnten wir vom Balkon aus gut sehen. Genau um Mitternacht läuteten alle Glocken der verschiedenen Kirchen. Mein Vater hat Sekt ausgeschenkt, und wir haben vom Balkon 'Prost Neujahr' zu unseren Nachbarn gerufen. Die hatten auch eine Party und waren alle laut. Als wir wieder im Wohnzimmer waren, wurde es ruhig. Mein Vater fragte, welche guten Vorsätze wir für das Neue Jahr hätten. Wir alle machten unsere Pläne und Wünsche. Mein Bruder, der seit seinem 16. Geburtstag immer mehr raucht, sagte, daß er damit aufhören will. Keine Zigaretten mehr im Neuen Jahr. Aber nach zehn Minuten hat er sich doch wieder eine Zigarette angesteckt. Mal sehen, ob er wirklich in diesem Jahr aufhört.

Question 14

(a) The rail-link with the City centre:
    Frau Müller: likes   ☒
                      dislikes   ☐
                      reason: *cheap, easy, pleasant, better than traffic environment.*
(b) Train as transport for going on holiday:
    Herr Schneider: likes   ☒
                      dislikes   ☐
                      reason: *quick and comfortable, doesn't want to drive when on holiday.*
(c) Going on holiday by car:
    Frau Müller: reason: *cannot carry all her luggage, can do more when she gets there.*
(d) Considering using the train and bus to go to work:
    Herr Schneider: reason A: *may not take more time than going by car.*
                      reason B: *petrol prices have gone up.*

Transcript:

HS   *Das war wieder schrecklich. Vierzig Minuten Stau auf der Ringstraße und dann ein Unfall kurz hinter der Ausfahrt. Ich habe heute abend über eine Stunde gebraucht, bis ich vom Büro wieder zu Hause war.*

FM   *Ja, der Verkehr wird immer schlimmer. Ich nehme deshalb immer die S-Bahn in die Stadt.*

HS   *Das sagen Sie, aber was das kostet.*

FM   *Nun, so teuer ist das nicht. Wenn ich an die Kosten für das Parkhaus denke. 5,-- DM für zwei Stunden. So viel kostet die Fahrkarte nicht.*

HS   *Das mag sein, aber jeden Tag in den überfüllten Zügen, und dann der Weg vom Bahnhof zum Büro. Das dauert auch.*

FM   *Also wenn ich in der S-Bahn bin, lese ich die Zeitung. In der Stadt nehme ich dann den Bus oder die Straßenbahn zum Einkaufszentrum. Das ist alles viel angenehmer als mit dem Auto.*

HS   *Aber finden Sie nicht, daß die S-Bahn immer so dreckig ist?*

FM   *Ja, das könnte besser sein. Auch gibt es immer wieder Leute, die im Zug rauchen, obwohl es verboten ist. Aber insgesamt sind die öffentlichen Verkehrsmittel besser für die Umwelt.*

HS   *Da haben Sie recht. Auch machen die Züge weniger Lärm. Also ich fahre gern mit der Bahn in Urlaub. Mit dem ICE, das ist wirklich eine bequeme Sache. Und so schnell.*

FM   *Das ist bestimmt richtig. Ich habe das aber noch nie gemacht. In den Urlaub fahre ich mit dem Auto. Schon allein wegen dem vielen Gepäck. Das könnte ich allein gar nicht schleppen. Auch kann man am Urlaubsort viel mehr machen, wenn man mit dem Auto kommt.*

HS   *Für mich bedeutet Urlaub eben, einmal nicht fahren zu müssen. Aber Sie haben mich jetzt doch nachdenklich gemacht. Vielleicht kann ich auch mit der S-Bahn und dem Bus gut zum Büro kommen. Länger als heute mit dem Auto wird es wohl nicht sein. Auch ist das Benzin wieder teurer geworden.*

PRACTICE PAPER 2 – SPEAKING (15 MINUTES)

Role-plays targeted at grades G, F, E

Role-play 1

Du kaufst auf einem Markt in Deutschland ein.

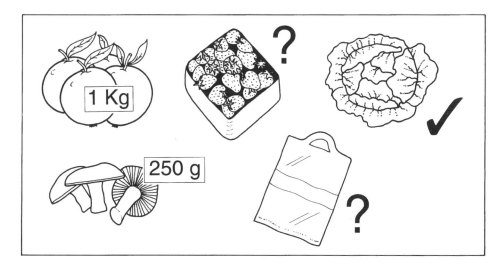

Role-play 2

In der Stadt. Du sprichst mit einem Passanten.

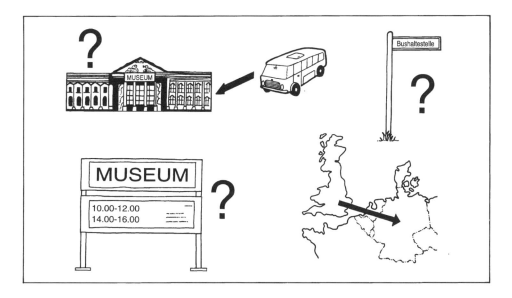

Role-play 3

Dein Arm tut weh. Du gehst zum Arzt in Deutschland.

- Sage, was weh tut.
- Wie gemacht? Verbrannt, gefallen?
- Wann? Wo?
- Tabletten?
- Apotheke?

Role-play 4

Du warst mit deiner Familie in der Schweiz. Erzähle, was du alles gemacht hast.

Montag:	Abfahrt in England mit dem Bus
	Überfahrt mit der Fähre
	Reise von Calais nach Bern mit dem Zug
Dienstag:	lange schlafen
	gut frühstücken im Hotel
	spazierengehen in der Stadt
Mittwoch:	Wanderung in den Bergen
	schöne Aussicht
	gutes Wetter
Donnerstag:	Regen
	Einkaufsbummel in der Stadt
	abends: Kino
Freitag:	wieder Regen
	lesen, fernsehen im Hotel
	gutes Mittagessen
	abends: Disco
Samstag:	Rückreise nach England mit Bahn und Bus.

ANSWERS TO PRACTICE PAPER 2 – SPEAKING

The answers suggested here give you an idea of the sort of thing a goodish candidate should be able to produce. Many variations are possible; the specimens given here are by no means the only answers.

Role-play 1

Teacher	*Guten Tag. Was wünschen Sie?*
You	*Ein Kilo Äpfel bitte.*
Teacher	*Sonst noch etwas?*
You	*Verkaufen Sie Erdbeeren?*
Teacher	*Nein, leider nicht.*
You	*Ich hätte gern einen Blumenkohl.*
Teacher	*Ja, bitte. Das war's?*
You	*Nein, 250 Gramm Pilze, bitte.*
Teacher	*So, das macht dann 8,30 DM.*
You	*Kann ich bitte eine Plastiktüte haben?*

Role-play 2

You	*Entschuldigung. Wie komme ich am besten zum Museum?*
Teacher	*Das ist etwas kompliziert. Sie gehen hier geradeaus. Etwa zwei Kilometer bis zum Theater. Das Museum ist dann gegenüber dem Theater.*
You	*Gibt es einen Bus zum Museum?*
Teacher	*Ja, die Nummer 15.*
You	*Wo ist die nächste Haltestelle, bitte?*
Teacher	*Hier, gleich um die Ecke.*
You	*Wie sind die Öffnungszeiten des Museums?*
Teacher	*Das weiß ich nicht. Sind Sie auf Besuch hier?*
You	*Ja. Ich komme aus England.*

Role-plays targeted at grades D, C

Role-play 3

Teacher	*Ja, wo haben Sie Schmerzen?*
You	*Mein Arm tut weh.*
Teacher	*Das sieht wirklich schlimm aus. Wie haben Sie das gemacht?*
You	*Da bin ich vom Fahrrad gefallen.*
Teacher	*Wann war das?*
You	*Das war gestern in der Hauptstraße.*
Teacher	*Da hätten Sie aber schon früher kommen sollen.*
You	*Kann ich bitte Schmerztabletten haben?*
Teacher	*Ja, ich verschreibe Ihnen Tabletten und verbinde den Arm. Wie lange bleiben Sie noch hier?*
You	*Noch eine Woche.*
Teacher	*Gut, dann kommen Sie in vier Tagen noch einmal zu mir. Hier ist Ihr Rezept für die Tabletten.*
You	*Wo ist die nächste Apotheke, bitte?*
Teacher	*Die ist in der Wilhelmstraße.*

Role-plays targeted at grades B, A, A*

Role-play 4

You	*Ich habe mit meiner Familie sechs Tage in der Schweiz verbracht. Wir sind mit dem Bus nach Dover gefahren. Dann haben wir die Überfahrt mit der Fähre nach Calais gemacht. Wir sind dann mit dem Zug weitergefahren.*
Teacher	*Das klingt sehr interessant. Was hast du in der Schweiz gemacht?*
You	*Am ersten Tag haben wir alle lange geschlafen. Dann haben wir einen Stadtrundgang gemacht. Das Wetter war herrlich. Viel Sonne. Am Mittwoch sind wir gewandert. Die Sonne schien, es war warm. Wir haben eine schöne Aussicht von den Bergen gehabt.*
Teacher	*Das ist wirklich gut. War das Wetter immer schön?*
You	*Nein, am Donnerstag und Freitag hat es geregnet. Schon früh am Morgen hat es angefangen. Wir sind in die Stadt gefahren und haben eingekauft. Es gibt dort viele gute Geschäfte.*
	Am Freitag hat es wieder geregnet. Ich bin im Hotel geblieben, habe gelesen und ferngesehen. Es gab ein herrliches Mittagessen. Das war sehr gut. Am Abend waren wir in der Disco. Die Musik war sehr laut, so daß man sich nicht unterhalten konnte.
Teacher	*Und wann bist du wieder nach Hause gefahren?*
You	*Das war dann am Samstag. Leider war der Urlaub schon so schnell zu Ende. Aber es hat viel Spaß gemacht.*

PRACTICE PAPER 3 – READING (50 MINUTES)

Which exercises to do

Foundation Tier candidates should do exercises targeted at grades G, F, E **and** exercises targeted at grades D, C.

Higher Tier candidates should do exercises targeted at grades D, C **and** exercises targeted at grades B, A, A*.

Exercises targeted at grades G, F, E

Example

You are in a town in Germany and want to buy some meat. Which shop do you go into?

Bäckerei ☐　　　　　　　Buchhandlung ☐
Metzgerei ☐　　　　　　Schreinerei ☐

Answer: Metzgerei ☒

Question 1

You need to find the railway station. Which sign do you follow?

HALTESTELLE ☐　　　　BAHNHOF ☐
RATHAUS ☐　　　　　　EINBAHNSTRASSE ☐

Question 2

You want to find the motorway to drive on to the next town. Which sign do you need to follow?

AUTOBAHN ☐　　　　　AUSFAHRT ☐
BUNDESSTRASSE ☐　　　UMLEITUNG ☐

Question 3

What sort of job is the young woman looking for:

> Junge Frau sucht Arbeit
> als Verkäuferin
> *Telefon:* 06151-661567

cleaner ☐　　　　　　　teacher ☐
shop assistant ☐　　　　driver ☐

Question 4

In a German newspaper you see the following advertisement under 'Lost and Found':

> Verloren am 15.08.96: schwarze Brieftasche, mit Reisepaß,
> Scheckheft und Führerschein,
> *Telefon:* 07071-751829

Which item was lost:

briefcase ☐　　　　　　wallet ☐
suitcase ☐　　　　　　　purse ☐

Question 5

Sieh dir den Stadtplan an.

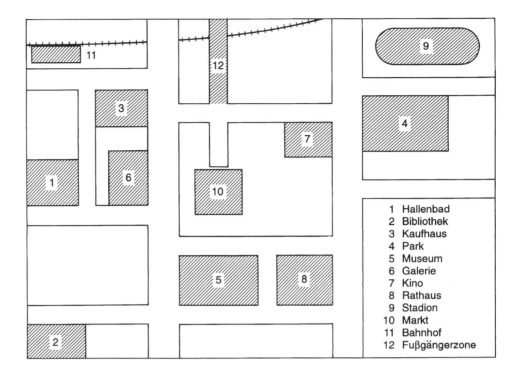

Welche Nummer auf dem Stadtplan brauchst du:

Beispiel
Du möchtest mit dem Zug fahren.   *11*

(a) Du suchst nach einem Geschenk für deine Eltern.
(b) Du möchtest schwimmen.
(c) Du willst einen neuen Film sehen.
(d) Du machst ein Picknick mit Freunden.
(e) Du hast vor, ein Fußballspiel zu sehen.
(f) Du interessierst dich für Kunst.

Question 6

Lies den folgenden Brief und kreuze dann an, ob die Sätze richtig oder falsch sind.

> *Liebe Brieffreundin,*
> *vielen herzlichen Dank für Deinen Brief aus Wales. Du scheinst dort viel Spaß gehabt zu haben.*
>   *Ich war mit meinen Eltern und Bruder in der Schweiz. Wir sind mit dem Wagen gefahren. Wir waren vom 14. Juli bis zum 2. August am Genfer See auf einem Campingplatz. Ich bin jeden Tag im See schwimmen gegangen und bin Wasserski gefahren. Abends war ich mit meinem Bruder in der Disco. Wir haben Musik gehört und bis halb zwölf getanzt. Das Wetter war sehr gut, nur einmal hat es geregnet. Alles in allem, der Urlaub war sehr gut.*
>   *Leider geht es morgen wieder los mit der Schule. Die 10. Klasse soll ja sehr schwer sein. In welche Klasse kommst Du?*
>   *Schreib bald wieder,*
> *Deine*
> *Annette*

	Richtig	*Falsch*
Annette ist nach Dänemark gefahren.		
Sie ist im Herbst gefahren.		
Sie ist mit ihrer Familie gefahren.		
Sie hat im Hotel gewohnt.		
Sie ist abends in die Disco gegangen.		
Das Wetter war gut.		

Exercises targeted at grades C, D

Question 7
Schaue dir diese Annoncen an. Welche Telefonnummer rufst du an?

(A)   Motorrad zu verkaufen, Baujahr 1994, wenig gefahren, 1500,-- DM
      Telefon: 51 29 97

(B)   Student gibt Nachhilfe in Englisch und Französisch, 10,-- DM pro
      Stunde
      Telefon: 79 23 45

(C)   Hotel Margarita, täglich geöffnet, Mittagessen von 12–14.00 Uhr
      Spanische Küche, Reservierungen unter *Tel.:* 53 48 79

(D)   Aktiver Rentner sucht leichte Arbeit in Haus oder Garten
      Telefon: 23 43 31 ab 16.00 Uhr

(E)   Freibad Bad König, ab 1. Juli wieder geöffnet.
      Mon–Frei: 7.30 Uhr bis 20.00 Uhr
      Sam–Son: 9.00 Uhr bis 18.00 Uhr
      Schwimmunterricht: Mon, Mit, Frei von 17.00 Uhr bis 18.00 Uhr
      Anmeldung unter *Tel.:* 12 19 19

(F)   Neueröffnung: Reinigung am Markt
      Für eine Woche: 2 Anzüge reinigen zum halben Preis
                      3 Röcke zum Preis von 2
      Auch: Federbetten, Steppdecken, Mäntel
      Mauerstraße 14, *Tel.:* 14 77 77

(G)   Sonderpreise für Schüler und Studenten:
      Führerschein während der Ferien für Auto oder Motorrad
      Fahrschule Hesselmann, lehrt seit 25 Jahren erfolgreich Autofahren
      Telefon: 49 26 41

(H)   Zu verschenken an tierliebe Leute: Kätzchen, 8 Wochen alt,
      schwarz und weiß.
      Bei Interesse bitte anrufen: 55 63 93

Welche Telefonnummer brauchst du,

(a) wenn du im Restaurant essen möchtest?
(b) wenn du schwimmen lernen möchtest?
(c) wenn du ein Kätzchen möchtest?
(d) wenn du deine Englischkenntnisse verbessern möchtest?
(e) wenn du ein Motorrad kaufen möchtest?

Question 8

Welche Person ist das?

(a) *Anke*

Ich heiße Anke. Ich bin 16 Jahre alt und komme aus Böblingen. Ich habe einen Bruder, Hans, der 12 Jahre alt ist. Ich gehe noch zur Schule, in die 10. Klasse einer Realschule. Nach der 10. Klasse möchte ich Arzthelferin werden. Bis jetzt habe ich aber noch keine Lehrstelle. Meine Hobbys sind Lesen, Sport und Handarbeiten. Ich nähe fast alle meine Kleider.

(b) *Jörg*

Mein Name ist Jörg. Ich bin 15 und gehe in die 9. Klasse des Gymnasiums. Ich wohne in Herrenberg. Mein Bruder ist älter als ich. Er studiert Medizin in Tübingen. Ich möchte auch mal studieren, aber nicht Medizin, sondern Pharmazie. In meiner Freizeit helfe ich meinem Vater im Garten, treibe Sport (Fußball und Tennis) und gehe in die Disco. Im Sommer werde ich an einem Austausch mit Durham/England teilnehmen.

(c) *Birte*

Tag. Ich bin Birte. Ich bin 17 und gehe in die Oberstufe. Ich wohne in Sindelfingen. Ich bin Einzelkind. Meine Eltern sind geschieden. Während der Ferien wohne ich bei meinem Vater. Das macht immer viel Spaß, weil ich mit den Kindern seiner zweiten Frau sein kann. Wir verstehen uns alle sehr gut und sind eine richtige große Familie. Bei meiner Mutter bin ich viel allein und es ist oft langweilig. Meine Interessen sind Politik und Theater. Ich gehe auch gern ins Kino.

Setze den richtigen Namen ein:

Beispiel
Birte wohnt nicht immer bei ihrem Vater.

(a) .... hat keine Geschwister.
(b) .... wird im Sommer nach England fahren.
(c) .... sucht einen Ausbildungsplatz.
(d) .... möchte Apotheker werden.
(e) .... interessiert sich für Kultur.

Question 9

FERIENDORF OSTERTHAL

- ideal für Ihre Ferien
- in der Nähe des Waldes
- eigenes Schwimmbad
- Tennisplätze
- Sauna und Solarium
- Reiten und Angeln möglich
- jedes Ferienhaus mit 4 bis 6 Betten, Küche mit Mikrowellenherd und Spülmaschine, Wohnzimmer mit Farbfernseher und Stereoanlage, WC und Dusche
- Restaurant im Feriendorf
- Frühstücksdienst: Nach Anruf bringt man Ihnen das Frühstück direkt ins Ferienhaus.
- Preise von 45,-- DM (Vorsaison) bis 83,-- DM (Hauptsaison) pro Person und Nacht
- Ermäßigung für Kinder
- Hunde erlaubt

Kreuze die richtige Antwort an:

(a) Das Feriendorf Osterthal ist in der Nähe des Strandes. ☐
                                                  des Waldes. ☐
                                                  des Schwimmbades. ☐
                                                  des Stadions. ☐

(b) Im Feriendorf Osterthal kann man: reiten und angeln. ☐
                                          wandern und Ski fahren. ☐
                                          töpfern und musizieren. ☐
                                          schwimmen und radfahren. ☐

(c) Jedes Ferienhaus hat   ein Bad. ☐
                                          eine Terrasse. ☐
                                          ein Telefon. ☐
                                          einen Fernseher. ☐

(d) Man bringt   das Abendessen ☐
                                          den Kaffee ☐
                                          das Frühstück ☐
                                          das Mittagessen in das ☐
                                            Ferienhaus.

(e) Es gibt eine Ermäßigung für   Eltern. ☐
                                          Familien. ☐
                                          Hunde. ☐
                                          Kinder. ☐

Exercises targeted at grades B, A, A*

Question 10

Lies diese Anzeige für Deutschkurse in Heidelberg und beantworte die Fragen
auf deutsch:

Deutschkurse für Ausländer

Germanistik Seminar der Universität Heidelberg

Lernen Sie Kultur und Sprache im romantischen Heidelberg kennen. Kurse
für Anfänger und Fortgeschrittene während der Sommermonate. Wählen
Sie aus unserem Programm von 4–12wöchigen Kursen (mit jeweils 11 oder
18 Stunden Unterricht pro Woche). Alle Lehrer sind vollausgebildete
Germanisten mit Staatsexamen.

Unterkunft bei ausgesuchten Gastfamilien im Raum Heidelberg –
Vollpension 200,-- DM pro Woche – die ideale Art und Weise, deutsches
Leben hautnah zu erfahren.

Unterbringung in einem Studentenwohnheim der Universität –
Selbstversorgung, Einzelzimmer, Dusche/Bad und Toilette auf der Etage,
110,-- DM pro Woche.

Großes kulturelles Angebot: Theaterbesuche, Dichterlesungen, Ausflüge,
Vorträge, Führungen durch Galerien und Museen in Heidelberg und
Umgebung, Weinproben, Betriebsbesichtigungen.

Sportmöglichkeiten: Tennis, Wandern, Schwimmen

(a) Für wen sind die Deutschkurse der Universität?
(b) Was soll die Qualität der Kurse garantieren?
(c) Wo können die Studenten wohnen?
(d) Welche kulturellen Einrichtungen gibt es?

Question 11

Lies den Artikel über Arbeitsplätze und Schulabgänger. Beantworte dann die Fragen auf deutsch.

Noch immer fehlen in Deutschland über 100.000 Lehrstellen

Nur jeder zweite Schulabgänger hat nach den neuesten Zahlen eine Chance, in diesem Jahr noch einen Arbeitsplatz zu finden. Am Anfang des Monats gab es 240.000 Schüler, die die Schule verlassen wollen, aber nur 123.000 Arbeitsplätze.

Die ostdeutschen Jugendlichen sind offenbar weitaus schlechter dran als die westdeutschen. Ende Juni gab es dort noch 88.200 Schüler ohne Arbeit, aber nur 13.400 freie Stellen. Im Westen Deutschlands sind 153.100 Bewerber noch ohnr Arbeitsstelle. Dem stehen 109.200 nicht besetzte Stellen gegenüber.

Die weitaus meisten Jungen suchen Arbeit in Industrie und Handel in den Berufen Mechaniker, Techniker und Kaufmann, während bei den Mädchen Arzt- und Zahnarzthelferin, Sekretärin und Steuerberaterin am beliebtesten sind.

(a) Werden alle jungen Leute in diesem Jahr noch einen Arbeitsplatz finden?
(b) Welche Jugendlichen haben mehr Probleme?
(c) Wo möchten die meisten Jungen arbeiten?

Question 12

Lies den folgenden Brief und wähle dann für jede Frage die richtige Antwort aus:

Liebe Debbie,

wir sind seit drei Tagen auf Sylt. Ja, das überrascht Dich, denn es ist November.

Hermann und ich aber finden einen Urlaub am Meer auch im späten Herbst sehr gut, ebenso erholsam wie im Sommer. Man kann stundenlang am Strand spazierengehen, und die frische Meeresluft tut so gut. Dann kann man im beheizten Hallenbad schwimmen, das Hotel hat auch eine Sauna und Solarium. Man kann sich so gut erholen, auch hat das Hotelpersonal in der Nachsaison viel mehr Zeit für die Gäste. Kellner, Zimmermädchen, Empfang, alle sind freundlich und kümmern sich um uns.

Hermann hatte im Büro sehr viel Arbeit, oft bis zu 12 Stunden pro Tag, so daß ihm die Ruhe gut tut. Wir werden hier eine Woche bleiben, dann geht es wieder zurück nach Düsseldorf. An Weihnachten freuen wir uns auf den Besuch von Max und Beate, die für die Feiertage bei uns bleiben werden.

Was für Pläne hast Du für die Festtage? Schreib doch wieder mal. Wir freuen uns immer über Nachrichten von Dir,

Deine Silke

Suche die richtige Antwort aus:

(a) Silke macht im Sommer   ☐
            im Dezember   ☐
            im Herbst Urlaub.   ☐

(b) Sie ist an der See.   ☐
       am See.   ☐
       in den Bergen.   ☐
       auf dem Land.   ☐

(c) Silke macht nicht gern Ferien in der Nachsaison.   ☐
     Silke freut sich auf die Ferien.   ☐
     Silke glaubt, daß der Urlaub gut ist.   ☐
     Silke fährt gern in die Berge.   ☐

(d) Hermann wird viel im Büro arbeiten.   ☐
     Hermann hatte einen anstrengenden Beruf.   ☐
     Hermann hat immer einen langen Arbeitstag.   ☐
     Hermann hatte in den letzten Wochen viel Arbeit.   ☐

(e) Beate und Max haben zu Weihnachten Besuch.   ☐
     Beate und Max kommen an Weihnachten zu Besuch.   ☐
     Beate und Max machen keinen Besuch zu Weihnachten.   ☐
     Beate und Max sind an Weihnachten zu Hause.   ☐

ANSWERS TO PRACTICE PAPER 3

Question 1
Bahnhof   ☒

Question 2
Autobahn   ☒

Question 3
shop assistant   ☒

Question 4
wallet   ☒

Question 5

(a) *3*   (d) *4*
(b) *1*   (e) *9*
(c) *7*   (f) *6*

Question 6

	Richtig	*Falsch*
Annette ist nach Dänemark gefahren.		X
Sie ist im Herbst gefahren.		X
Sie ist mit ihrer Familie gefahren.	X	
Sie hat im Hotel gewohnt.		X
Sie ist abends in die Disco gegangen.	X	
Das Wetter war gut.	X	

Question 7

(a) *53 48 79*

(b) *12 19 19*

(c) *55 63 93*

(d) *79 23 45*

(e) *51 29 97*

Question 8

(a) *Birte*

(b) *Jörg*

(c) *Anke*

(d) *Jörg*

(e) *Birte*

Question 9

(a) Das Feriendorf Osterthal ist *in der Nähe des Waldes.*

(b) Im Feriendorf Osterthal kann man: *reiten und angeln.*

(c) Jedes Ferienhaus hat *einen Fernseher.*

(d) Man bringt *das Frühstück* in das Ferienhaus.

(e) Es gibt eine Ermäßigung für *Kinder.*

Question 10

(a) *für Anfänger und Fortgeschrittene Ausländer, die Deutsch lernen*

(b) *Alle Lehrer sind ausgebildete Germanisten mit Staatsexamen.*

(c) *bei Gastfamilien oder in Wohnheimen der Universität*

(d) *Galerien und Museen*

Question 11

(a) *Nein*

(b) *Jugendliche in Ostdeutschland*

(c) *In Industrie und Handel*

Question 12

(a) Silke macht *im Herbst* Urlaub.

(b) Sie ist *an der See.*

(c) Silke glaubt, *daß der Urlaub* gut ist.

(d) Hermann hatte *in den letzten Wochen viel Arbeit.*

(e) Beate und Max kommen *an Weihnachten zu Besuch.*

PRACTICE PAPER 4 – WRITING (50 MINUTES)

Exercises targeted at grades G, F, E

Question 1
Dein Brieffreund kommt zu Besuch. Schreibe eine Liste von zehn Gebäuden, Plätzen, usw., die es in deiner Stadt gibt.

Question 2
Du kaufst Geschenke für deine Familie. Schreibe auf, was du für welche Person kaufst.

für wen	*was*
Tante	Tasche

Question 3

Du bist auf Urlaub. Schreibe eine Postkarte an einen deutschen Freund.

- ► Schreibe, wo du bist.
- ► Wann angekommen?
- ► Wie gefahren?
- ► Wetter?
- ► Was du machst.

Exercises targeted at grades D, C

Question 4

Wähle entweder **A** oder **B**:

A Schreibe einen Brief an einen neuen deutschen Brieffreund/eine neue deutsche Brieffreundin. Schreibe etwa 100 Wörter.

- ► Schreibe etwas über dich (Name, Alter, Familie).
- ► Schreibe etwas über deine Stadt/dein Dorf (wo, was es gibt).
- ► Schreibe über zwei Hobbys.
- ► Schreibe über deine Schule (Klasse, Fächer).
- ► Schreibe, was du am Wochenende gemacht hast.

B Schreibe an das Informationsbüro in Wien. Schreibe etwa 100 Wörter.

- ► Wann du nach Wien kommst (Datum).
- ► Mit wem?
- ► Wie fahren?
- ► Wo übernachten (Hotel, Gasthaus)? Preis?
- ► Schreibe zwei Dinge, die du in Wien machen möchtest.

Exercises targeted at grades B, A, A*

Question 5

Wähle entweder Frage **A**, **B** oder **C**. Schreibe 150 Wörter.

A Du bist mit deinen Eltern in Bern, in der Schweiz. Als du ins Hotel zurückkommst, siehst du eine Person, die aus deinem Hotelzimmer kommt. Schreibe einen Bericht für die Polizei.

- ► Wann (Tag, Zeit)? Wo?
- ► Beschreibung der Person
- ► Was fehlt in deinem Zimmer?
- ► Beschreibung der fehlenden Dinge

B Du machst mit Freunden eine Radtour in Norddeutschland, als es einen Unfall gibt. Schreibe einen Bericht für die Polizei.

- ▶ Was ist passiert?
- ▶ Beschreibung des Fahrers und des Autos
- ▶ Wer verletzt?
- ▶ nach dem Unfall: Arzt und Polizei, Krankenhaus?

C Du hast in den Ferien gearbeitet. Schreibe an deinen Brieffreund über deinen Ferienjob.

- ▶ Wo gearbeitet, was gemacht?
- ▶ Wie war die Arbeit? Geld? Arbeitszeit?
- ▶ Wie waren die Kollegen?
- ▶ Ist etwas Besonderes passiert? Was?
- ▶ Was wirst du in den nächsten Ferien machen? Warum?

POSSIBLE ANSWERS TO PRACTICE PAPER 4

Question 1

1 *Kirche*
2 *Rathaus*
3 *Markt*
4 *Kaufhaus*
5 *Dom*

6 *Museum*
7 *Bahnhof*
8 *Schule*
9 *Schloß*
10 *Stadion*

Question 2

für wen	was
Onkel	Buch
Mutter	Tasse
Vater	Bierkrug
Bruder	Abzeichen
Schwester	Sticker

Question 3

Lieber Peter,
ich bin in Cornwall in Südengland. Ich bin gestern angekommen. Ich bin mit dem Bus
gefahren. Das Wetter in Cornwall ist schlecht. Es regnet. Ich gehe schwimmen und tanze
in der Disco.
Bis bald,
Deine
Susan

Question 4
Option A

Northampton, den 6. Oktober

Liebe Hannelore,

mein Lehrer hat mir Deine Adresse gegeben. Ich bin Deine neue Brieffreundin. Ich heiße Sarah Jones. Ich bin 15 Jahre alt. Mein Geburtstag ist der 15. Januar. Ich habe zwei Brüder, Neil (10 Jahre) und Daniel (13 Jahre). Meine Eltern sind geschieden. Ich wohne bei meiner Mutter, Neil und Daniel wohnen bei meinem Vater.

Meine Stadt ist Northampton. Das liegt in Mittelengland. In Northampton gibt es ein altes Rathaus, einen Markt und ein Einkaufszentrum. Northampton ist eine Industriestadt.

Meine Hobbys sind Schwimmen und Musik. Ich gehe zweimal in der Woche zum Hallenbad. Das ist gesund. Ich spiele Klavier und Gitarre. Meine Klavierlehrerin ist sehr nett.

Ich gehe in die Weston Favell Schule, eine Gesamtschule. Die Schule ist modern und groß. In meiner Klasse (11. Klasse) sind 27 Schüler. Ich lerne Deutsch, natürlich, Mathe, Englisch, Biologie, Chemie, Technologie und Erdkunde. Ich finde Mathe schwer, weil ich es einfach nicht verstehe. Deutsch macht Spaß, weil die Lehrerin sehr nett ist.

Am Wochenende war ich in Birmingham. Das ist eine Großstadt. Ich habe eine Show im Theater gesehen. Es war ziemlich interessant. Ich bin mit meiner Mutter gefahren.

Schreibe bitte bald etwas über Dich und Deine Familie,

viele Grüße,
Deine Sarah

Option B

Grays, den 25. Juni

Sehr geehrte Damen und Herren,

ich werde mit meiner Familie, zwei Erwachsene und zwei Kinder (16 und 14 Jahre alt) im Juli nach Wien fahren. Wir werden vom 12. bis zum 19. Juli in Wien bleiben. Wir werden mit dem Flugzeug von Heathrow nach Wien fliegen. Gibt es eine Straßenbahn oder einen Bus vom Flughafen zur Stadtmitte?

Können Sie uns bitte ein gutes Hotel empfehlen? Wir brauchen ein Doppelzimmer und zwei Einzelzimmer, alle Zimmer mit Bad oder Dusche und Toilette. Was kostet das für ein Hotel im Stadtzentrum? Bitte schicken Sie uns eine Hotelliste und Preisliste.

Wir möchten in Wien in die Oper gehen. Können wir die Karten im Informationsbüro kaufen? Meine Eltern gehen gern ins Museum. Welche Museen gibt es in Wien?

Vielen Dank für Ihre Mühe,

mit freundlichen Grüßen

Question 5
Option A

Ich war mit meinen Eltern in der Stadt zum Einkaufen. Es war Montag, der 12. Juli. Um 14.00 Uhr sind wir ins Hotel zurückgekommen. Als ich im Korridor vor meinem Hotelzimmer war, ist ein Mann aus meinem Hotelzimmer gekommen.

Der Mann war ungefähr 20 Jahre alt, groß und schlank. Er hatte lange, blonde Haare. Der Mann hat eine Jeans und ein weißes T-Shirt getragen.

In meinem Hotelzimmer war Chaos. Alles war auf dem Boden, meine Kleidung, Bücher und Zeitungen. Aber mein Radio und meine Uhr waren nicht da. Das Radio ist klein und schwarz. Es ist ein Radio der Marke Sony. Es war neu. Ich habe es in Bern gekauft. Es hat 30 Franken gekostet. Meine Uhr ist eine Digitaluhr der Marke Seiko. Das Armband ist aus Metall. Die Uhr war ein Geschenk für meinen Bruder. Sie hat 90 Franken gekostet.

Option B

Der Unfall ist am 14. August passiert. Ich habe mit meinen Freunden, Peter, Carl und Steven, eine Radtour gemacht. Wir sind auf der Landstraße von Kiel nach Flensburg gefahren. Es war sonnig und heiß. Es war Nachmittag, und es gab nicht viel Verkehr. Wir sind alle hintereinander gefahren. An einer Kreuzung vor einer Stadt stand eine Ampel. Die Ampel hat für uns 'grün' gezeigt. Aber von links ist ein Auto, ein BMW gekommen. Er hatte 'rot' aber der Fahrer hat nicht gehalten. Er ist mit Peter zusammengestoßen und ohne zu stoppen weitergefahren.

Der BMW war alt und blau. Der Fahrer war ein junger Mann, etwa 19 Jahre alt. Er hat lange, dunkle Haare und einen Bart. Mein Freund Peter war verletzt. Er hat seine Hand gebrochen. Ich habe schnell eine Telefonzelle gesucht. Ich habe mit der Polizei und dem Krankenhaus telefoniert. Nach zehn Minuten sind Polizei und Krankenwagen gekommen. Wir mußten mit zur Polizeiwache kommen, während Peter ins Krankenhaus kam. Auf der Polizeiwache gab es viele Fragen. Nach einer Stunde sind wir zu Peter zum Krankenhaus gefahren. Peter mußte eine Nacht im Krankenhaus bleiben. Leider konnten wir die Fahrradtour nicht weitermachen. Peters Fahrrad war kaputt. Deshalb sind wir am nächsten Tag nach England zurückgefahren.

Option C

Northampton, den 15. September

Lieber Hans,

wie waren Deine Ferien? Was hast Du gemacht? Ich habe in meinen Ferien gearbeitet. Ich war für sechs Wochen Verkäuferin in einem Schuhgeschäft. Das Geschäft ist hier in der Stadt, gleich neben der Kirche.

Ich habe die Schuhe aus dem Lager geholt und auf die Regale geleg. Manchmal war ich auch an der Kasse oder habe mit den Kunden gesprochen. Die Arbeit war nicht schwer. Ich habe £2.80 die Stunde verdient. Es gab noch zwei andere Schüler, die dort gearbeitet haben. Beide waren sehr nett. Wir haben viel gesprochen und gelacht. In der Mittagspause sind wir zusammen zu McDonald's gegangen. Mein Chef, Mr. Brewer, war oft schlecht gelaunt und hat über alles geschimpft. Die Arbeitszeiten waren von 9.00 Uhr bis 13.00 Uhr, und von 14.00 Uhr bis 18.00 Uhr. Das war nicht so schlimm.

An einem Tag ist ein junger Mann in den Laden gekommen. Er war Deutscher. Er wollte ein Paar schwarze Schuhe kaufen. 'Ich suche Schuhe in Größe 45', hat er gesagt. 'Größe 45, das kenne ich nicht. Wir haben nur Größe 1 bis 10. Größe 45 ist ja riesig,' habe ich geantwortet. Dann habe ich gedacht, daß 45 eine deutsche Größe ist. 'Ich glaube, Sie wollen ein Paar Schuhe in 10', erklärte ich. Dann haben wir alle gelacht. Wir haben noch etwas gesprochen. Später habe ich den jungen Mann in McDonald's wiedergesehen. 'Passen die Schuhe?' habe ich gefragt. Später sind wir noch etwas im Park spazierengegangen.

In den nächsten Ferien werde ich mit meinem Bruder nach Spanien fahren. Ich möchte mich erholen und Freizeit haben. Hoffentlich ist das Wetter dann gut.
Schreib bitte bald,

Deine
Debbie